LA STRATIFICATION SOCIALE A PARIS EN 1634, 1635, 1636

PUBLICATIONS DE LA SORBONNE
N. S. « Recherches » - 22
Université de Paris IV - Paris - Sorbonne

TRAVAUX DU CENTRE DE RECHERCHES SUR
LA CIVILISATION DE L'EUROPE MODERNE - FASCICULE 18

Roland MOUSNIER

RECHERCHES SUR

LA STRATIFICATION SOCIALE A PARIS aux XVIIe et XVIIIe SIÈCLES

L'échantillon de 1634, 1635, 1636

Ouvrage publié avec le concours du
Centre national de la recherche scientifique

1976
Paris
EDITIONS A. PEDONE
13, rue Soufflot

I.S.B.N. 2. 233. 00019. 6

INTRODUCTION

LES CONCEPTS DIRECTEURS DE LA RECHERCHE

Ce livre est un compte rendu de recherches. Il présente un fragment d'une enquête plus vaste portant sur l'ensemble de Paris.

La stratification sociale est la représentation mentale que se font les membres ou les observateurs d'une société, lorsqu'ils la voient comme si les hommes qui la composent étaient disposés en une série de strates sociales horizontales ou couches sociales, niveaux sociaux, hiérarchisés. Cette représentation provient de la constatation de comportements des hommes dans leurs relations entre eux et de jugements de valeur qu'ils portent les uns sur les autres, comportements et jugements de valeur se produisant et se modifiant réciproquement sans cesse les uns les autres, en liaison continue, en actions et réactions mutuelles incessantes. Ces phénomènes sont parmi les plus importantes des sociétés humaines. Depuis de longues années, ils ont fait l'objet d'une partie de mes recherches, notamment dans le cadre du *Centre de recherches sur la Civilisation de l'Europe moderne*, en Sorbonne, créé en 1958 (Laboratoire associé du Centre national de la Recherche scientifique) et de plusieurs de mes ouvrages (1).

Avec mes élèves, partis de la conviction que les classes sociales étaient bien ce que les marxistes désignaient par ce terme, que ces classes avaient commencé d'exister dès que les sociétés étaient sorties du prétendu communisme primitif, et que les luttes de classes étaient sinon toute l'histoire, tout au moins un de ses facteurs les plus importants, nos recherches sur les sociétés et les institutions nous ont peu à peu amenés à des conceptions toutes différentes. Nous sommes finalement convaincus de ce que le concept marxiste de classe sociale n'est valable que pour certains types de sociétés et qu'il a été indûment extrapolé. Si nous voulons un terme universel qui convienne aux hiérarchies sociales les plus diverses, il vaut mieux se servir de l'expression de strate sociale qui correspond à un concept universel, « une famille ». Les strates sociales proviennent de la

(1) Voir liste à la fin du volume.

division du travail social, conjointement avec ou indépendamment de toute propriété des moyens de production. Une strate sociale est caractérisée :

— par sa part du travail social : gouvernement, administration, défense, conquête, prière, science, production, exemple d'un comportement idéal, éducation et soutien de la famille, etc. ;

— par la forme de ce travail : conception, initiative, programme, rassemblement des moyens, direction, à ses divers degrés, exécution ;

— par la mesure dans laquelle elle dispose du travail social d'une autre strate ou d'autres strates ;

— par une mentalité et un style de vie ;

— par des moyens d'existence, cause ou plus souvent conséquence de son rôle social.

Division du travail social implique coopération. La coopération des strates sociales entre elles est la base de toute stratification sociale. Mais les membres d'une strate diffèrent des membres des autres strates dans et par leur fraction du travail social. Leur fonction sociale ,c'est-à-dire cette fraction du travail social, constitue leur vie, leur raison d'être, leur manière d'être, leur moyen d'entretenir leur vie et de l'améliorer. Plus leur part du travail social a d'importance, plus grande est la considération dont ils jouissent et meilleure est leur vie. D'où un effort constant pour faire reconnaître plus d'importance à leur part du travail social par les autres membres de la société, effort qui exprime une volonté de puissance. Leur volonté de puissance demande autant et plus de satisfaction que les besoins du corps. Leur volonté de puissance peut d'ailleurs prendre la forme d'une lutte économique, aussi bien que toute autre forme. Il naît donc, en même temps que les strates sociales, une rivalité des strates, des rapports antagonistes.

La division du travail social résulte d'une série de jugements de valeur, conscients ou inconscients, formulés ou tacites sur la nécessité, l'utilité, l'importance, la dignité, l'honneur, la grandeur, des différentes fonctions sociales, ces jugements de valeur sont différents selon les différentes sociétés. Il en résulte que les systèmes de stratification sociale sont tous différents les uns des autres. Ils peuvent toutefois se ramener à des types. L'esprit en tire des concepts hiérarchisés. Les jugements de valeur se hiérarchisent selon la puissance, réelle ou supposée, dans une société considérée, attribuée par cette société à telle ou telle fonction sociale.

D'où vient, selon les sociétés, la prédominance du prêtre, ou du guerrier, ou de l'ancien, ou de l'industriel, ou du savant ou du partisan, etc. (1).

---

(1) Voir en particulier, Roland MOUSNIER, *Le concept de classe et l'histoire*, « Revue d'histoire économique et sociale », 1970.
Roland MOUSNIER, *Les hiérarchies sociales de 1450 à nos jours*, P.U.F., 1969, 185 p.

Les types de stratifications sociales sont nombreux. Parmi eux tous, nos études et recherches sur différentes sociétés échelonnées dans le temps du XIVe siècle au XXe nous ont montré l'importance de trois types, qui correspondent à des concepts généraux ou « genres », inclus dans le concept universel ou « famille » des strates sociales : la stratification en ordres, la stratification en castes, la stratification sociale en classes.

Dans la stratification en castes, les groupes sociaux appelés castes sont hiérarchisés non d'après la fortune de leurs membres et d'après leur capacité de consommer, non d'après leur rôle dans le mode de production des biens matériels, mais d'après leur degré de pureté ou d'impureté religieuse héréditaire. Les relations entre les hommes et les groupes d'hommes sont fondées sur des représentations mentales religieuses et ritualistes. La société est fragmentée en groupes qui vivent chacun à part, sortes de petits mondes indépendants. La société est segmentée selon une ségrégation fondée sur le degré de pureté religieuse héréditaire. Des règles strictes indiquent pour chaque groupe qui ses membres peuvent approcher ou toucher, de qui ils peuvent recevoir nourriture ou boisson et quelle sorte de nourriture et de boisson ; qui ils doivent fuir, qui sont pour eux les intouchables. La crainte morbide de la souillure tient les groupes à l'écart les uns des autres. Le respect de la pureté religieuse consolide la hiérarchie sociale. L'exemple classique de ce type de stratification est l'Inde, surtout du Ve siècle avant Jésus Christ au XIXe siècle de l'ère chrétienne. Mais l'Espagne est passée, du XVe au XVIIIe siècle, très près de la stratification en castes, si même elle n'a pas constituée une imparfaite société de castes. Bien des gentilhommes français du XVIe et du XVIIe siècles ont considéré leur noblesse de telle sorte qu'il faudrait identifier leurs idées à la conception de la caste.

Les classes sociales sont un genre de strates qui existent dans les sociétés où les jugements de valeur sociaux placent la production des biens matériels et la création des richesses au sommet de l'échelle des fonctions sociales dans une économie de marché où dominent les rapports de production capitalistes. Les classes sont donc des strates sociales distinguées par leur part du travail productif de biens matériels et la forme de ce travail, la propriété de moyens de production ou l'absence de cette propriété, le mode de cette propriété et le mode d'exploitation (travail confié à d'autres ou exécuté par le propriétaire, librement ou en dépendance), la situation sur le marché (fournisseurs en gros pouvant dominer le marché ou boutiquiers au détail dans la dépendance à la fois du grossiste et de la clientèle ; proposition marchande indirecte de la terre, de la finance, etc., proposition marchande directe de la force de travail) ; la plus ou moins grande faculté de contrôle sur les prix, la disposition du travail d'autrui ou au contraire l'obligation de mettre en force le travail au service d'un autre (ouvrier, ouvrier agricole) ; la liberté de l'entreprise (propriétaires parcellaires) ou au contraire la dépendance de l'entreprise (artisans au service d'industriels) ; la mobilité sociale libre juridiquement, soumise seulement aux lois de l'économie et aux jugements de valeurs sociaux. Les classes sont encore distinguées les unes des autres par la différence de leurs genres de vie et de leurs intérêts, leurs façons de penser et leurs idéologies.

Pour Karl Marx il n'y aurait société de classes que lorsque les liens de classe, dépassant le cadre local, deviendraient liens nationaux, dans une communauté dotée d'une organisation politique.

Pour Karl Marx ne seraient pas des classes sociales, mais des groupements sociaux artificiels au service des classes, d'abord l'Etat lui-même, avec son organisation bureaucratique et militaire (fonctionnaires, soldats) normalement au service de la classe dominante, mais qui peuvent être aussi au service d'un dictateur ou d'un groupe de pression ; ensuite les groupes idéologiques, Eglises, académies, presse, députés, partis politiques, écrivains, qui expriment la pensée, les conceptions, les intérêts de telle ou telle classe. Individuellement, ils peuvent, par leur situation personnelle et leur culture être séparés de la classe, dont ils sont l'expression, par un abîme. Mais leur cerveau se trouve, par hasard au niveau des intérêts matériels et de la situation sociale de la classe et ils sont ainsi poussés à poser les mêmes problèmes et à proposer les mêmes solutions. (K Marx, *18 Brumaire de Louis Bonaparte* (*Mai 1852*), Editions sociales, 1948, p. 201).

Semblent se trouver aussi en dehors et au-dessus des classes sociales des intellectuels, des artistes, et d'autres personnes qui échappent aux classes par prise de conscience et par libre choix.

Pour la stratification en ordres, prenons l'exemple de la France, puisque, probablement, la stratification sociale de nos quartiers parisiens en 1634, 1635 et 1636, est une variété d'une telle espèce (1). En France, l'ordre comprend une qualité attachée à la personne et qui est une dignité relative ; un style de vie qui en découle ; une vocation à certaines parties de la division du travail social, qui en résulte. Les ordres et leurs subdivisions, les états, sont reconnus par tacite consentement des peuples. Ils peuvent exister socialement sans aucune sanction légale et sans aucune définition juridique. Ils sont une qualité, attachée à la personne, souvent héréditaire, accompagnée d'une dignité, d'un honneur ; le tacite consentement crée également les coutumes, sorte de droit civil commun à toute l'étendue d'une province ou d'un pays, qui règlent juridiquement les relations entre les hommes, fixent le mode de propriété, la condition des personnes, règlent les associations, lignages, communautés, corps et collèges (2).

Le tacite consentement des peuples est entraîné par un ensemble de jugements de valeurs spontanés sur les comportements sociaux, qui crée l'échelle de valeur sociale. Ils reposent d'abord sur la notion d'utilité. Elle n'est pas pour les Français du XVIIe siècle la même que pour les Français du milieu du XXe. Pour ceux-ci, la plus grande utilité

(1) Roland MOUSNIER, *Les hiérarchies sociales, passim.*
(2) Roland MOUSNIER, *Les concepts d' « Ordre », d' « Etat », de « fidélité » et de « monarchie absolue » en France, de la fin du XVe siècle à la fin du XVIIIe*, « Revue historique », 2e trimestre 1972.

réside dans la production des biens matériels. Pour les Français du XVIIe siècle la plus grande utilité réside dans la profession des armes, dans le métier militaire, parce qu'il assure la conservation des personnes, parce qu'il est le plus exemplaire par les vertus qu'il exige et qui peuvent être proposées à l'imitation. La première de toutes les gloires est acquise à la guerre. Elle confère la « gentillesse », la vraie noblesse. Ce classement est « l'opinion commune », la « voix commune du peuple ». Nous saisissons ici le caractère essentiel du concept d'ordre ; il sort d'une considération de l'ensemble du travail social et de sa division, d'un jugement de valeur spontané, commun, source d'un concentement de tous, ou du plus grand nombre, sur l'utilité de chaque fonction sociale, sur la place qu'elle doit occuper dans la hiérarchie des fonctions sociales.

L'utilité, selon les critères de la société considérée, confère la qualité, la dignité, l'honneur. La qualité impose le style de vie, le costume, la résidence, les occupations, les distractions, les relations, les fonctions publiques, les opinions, les points de vue.

La conformité à ce style de vie, c'est la « vertu ». La vertu, pour le noble, c'est de « faire profession d'honneur ». L'honneur est le souverain bien qui sépare le noble des autres hommes. L'honneur est une « manière de vivre ». Sa base, c'est le sacrifice au bien de l'Etat et du public. Tout profit particulier est contraire à l'honneur. Le commerce est donc particulièrement interdit au noble. Aussi est-il meilleur de vivre à la campagne, de fuir la ville, pour ne pas être soupçonné de se livrer à des occupations mercantiles. Il n'y a que risée et moquerie pour le « gentilhomme de ville ». Le noble doit « vivre noblement », « sans faire métier ne marchandise », « faire largesse », montrer en toutes circonstances « excellence » et « prouesse », ne tolérer rien qui pourrait faire penser à une défaillance de sa « vertu », ce qui entraîne les subtilités du « point d'honneur » et la fréquence des duels. Le noble doit donner sans cesse l'exemple du désintéressement, du sacrifice, de la bravoure, de la fidélité, de l'intégrité, de la franchise. La « profession d'honneur » apporte la « gloire ». La gloire peut procurer la richesse. L'inverse n'est jamais vrai.

Le noble est donc un soldat. Le commandement est de l'essence du métier militaire. L'armée est une hiérarchie de commandements. L'ordre de noblesse a donc une vocation à toutes les fonctions sociales qui impliquent un pouvoir de commander : rendre justice, gouverner les provinces, les villes, détenir les seigneuries.

Car l'ordre est ce qui sert à « maintenir une domination » (Guy (Coquille). Tous les ordres et « états » forment par analogie une hiérarchie de commandements et d'aptitude décroissante à commander.

Plus une famille est anciennement dans un ordre, plus est élevée sa dignité dans cet ordre. A « état » égal, la famille dont l'ancienneté se perd dans la nuit des temps jouit de la plus grande dignité et du plus grand honneur. L'ancienneté et l'hérédité sont donc incluses dans les concepts d'ordre et d' « état ». Des théoriciens comme l'Alouette, Guez de Balzac, sont même allés jusqu'à une théorie de la race et du sang qui les a rapprochés du concept de caste. Pour eux, la « vertu » existe en puissance dans le sang noble. Elle est toujours un don, jamais une conquête. Elle ne peut perdre sa pureté. « Le bon engendre le bon » (Rivault de Fleurance).

La plupart sont d'avis que l'ordre s'acquiert, même celui de noblesse et qu'en principe il se perd par dérogeance, sauf la noblesse dont les privilèges sont suspendus, mais qui ne se perd plus après quatre générations. Les ordres ne sont pas fermés. La noblesse peut être acquise par l'honneur, la « vertu », au moyen d'épreuves purificatrices, en abandonnant les œuvres « mécaniques » et en s'adonnant au « trafic d'honneur » métier des armes, magistratures de dignité, lettres, car les docteurs sont des nobles. Mais il faut que cette mutation soit sanctionnée par des lettres d'anoblissement du prince, astre qui pénètre de ses rayons les nobles, « corps diaphanes » (Rivault de Fleurance).

Le roturier anobli est réputé de race noble, mais il faut quelques générations pour que sa noblesse devienne parfaite. L'ordre par excellence, c'est la noblesse. C'est par rapport à lui que les autres ordres et leurs subdivisions, les « états » se définissent et se classent.

Tels sont les concepts, tirés de l'observation, qui nous ont fourni nos principales hypothèses de travail. Il s'agissait ensuite de vérifier les concepts par les comportements des hommes.

L'ECHANTILLON PARISIEN DE 1634, 1635, 1636

CHAPITRE PREMIER

LA METHODE

Nous avons cherché à vérifier l'existence de la stratification en ordres, à en approfondir et à en préciser la nature, les propriétés sociales, les conditions de durée et de changement.

L'un des objets de cette vérification a été la ville de Paris. Le choix de Paris résultait d'abord du fait que nous y étions. Mais, en outre, Paris présentait un intérêt particulier puisque la ville était la capitale du royaume. La fonction de capitale (1) posait un problème : d'une part la présence de la Cour, ou son voisinage à Versailles, de 1677 à 1715 et de 1720 à 1789, considéré par les contemporains comme une seule ville avec Paris, la présence constante des principaux organes judiciaires et administratifs de la royauté, pouvait y avoir renforcé la société d'ordres ; mais d'autre part sa population, immense par rapport à celle des autres villes françaises de l'époque, 400 000 habitants environ au début du XVIIe siècle, 600 000 environ vers 1789, son rôle de centre financier, la fonction que lui a dévolu à plusieurs reprises le gouvernement monarchique d'être le siège des fabrications nouvelles, voulues par la politique mercantiliste, un exemple et un stimulant pour le royaume, pouvaient avoir donné précocement à sa hiérarchie sociale des caractères de classes. En effet, il semble bien que les meilleures conditions pour la société d'ordres, qui repose sur un consensus tacite, sur des jugements de valeur collectifs et spontanés, soient réalisés dans les petites unités de population, le village, le bourg, la ville de 5 à 15 000 habitants, bien que, jusqu'à 100 000 habitants environ, les membres d'une population puissent se connaître assez pour qu'une hiérarchie de jugements de valeur collectifs spontanés puisse s'établir. La capitale posait donc un problème particulier dans le royaume, mais qui pourrait être un problème général si l'on considérait l'Europe tout entière et peut être encore plus le monde des civilisations d'Occident de part et d'autre de l'Atlantique.

(1) Roland MOUSNIER, *Paris, capitale politique au Moyen Age et dans les temps modernes* (*environ 1200 à 1789*), mémoire publié dans « Colloques, Cahiers de Civilisation », 1962, repris dans *La Plume, la Faucille et le Marteau, institutions et sociétés en France du Moyen Age à la Révolution*, coll. « Hier », Presses Universitaires de France, 1970, p. 95-139.

Un questionnaire d'ensemble était aisé à établir. L'on en trouvera l'esquisse dans plusieurs de mes ouvrages. Mais pour un historien, une fois qu'il s'est rendu compte de ce qu'il serait souhaitable d'atteindre, ce qui importe c'est le questionnaire applicable directement aux documents dont il dispose et qui ne sont, le plus souvent, que des débris. Paris se trouve particulièrement défavorisé, la plus pauvre peut-être de toutes les villes du royaume en documents exploitables pour le discernement de la stratification sociale. Paris, exempt de tailles et de différents impôts, n'a pas de registres fiscaux, ni ces rôles de tailles ni ces admirables sextiers des gabelles qui permettent de repérer les éléments de toute une population, dans ses différents niveaux de taxation et ses exempts. Il y a une contrepartie heureuse à ce grave inconvénient. Des registres fiscaux peuvent nous permettre tout au plus d'obtenir une échelle approximative des niveaux de revenus. Il ne faudrait pas la confondre avec une échelle sociale. Bien des historiens sont tombés dans cette erreur. A Paris, il est impossible de succomber à cette tentation. D'ailleurs même si une échelle de revenus dans une société donnée correspondait à la hiérarchie sociale, nous resterions devant le problème de savoir si la fortune et les revenus déterminent le statut social, ou si c'est le statut social qui donne la fortune et les revenus.

Ce qui est plus grave, c'est que Paris a perdu en 1871, la plus belle collection de registres paroissiaux du monde, brûlés dans l'incendie des Tuileries allumé par les Communards pour entraver l'avance des troupes gouvernementales. Les registres paroissiaux, s'ils sont bien tenus, sans lacunes importantes, et avec la mention des qualités et des professions, peuvent être la meilleure source pour les recherches de stratification sociale parce qu'ils donnent à peu près toute la population des plus riches aux plus pauvres, dans ses mariages, ses baptêmes, ses décès. Cette source nous fait cruellement défaut. Mais les quelques rares registres échappés au désastre nous montrent qu'au moins certains vicaires négligeaient de mentionner les qualités et professions, ce qui devait réduire beaucoup les possibilités d'utilisation pour notre enquête.

Mais Paris a conservé une bonne partie des minutes de ses notaires depuis la fin du XVe siècle, aujourd'hui rassemblées au Minutier central des archives nationales, à l'Hôtel de Rohan, 87, rue Vieille-du-Temple, le plus important fonds de minutes notariales du monde et qui n'ont qu'un défaut c'est qu'elles ne sont pas inventoriées (1).

---

(1) Un inventaire complet est en cours par les soins du service du Minutier central. Comportant l'analyse de tous les actes de façon telle qu'elle puisse éviter le recours aux actes eux-mêmes, le travail progresse évidemment lentement.

Un inventaire sommaire réduit aux contrats de mariage, aux inventaires après décès et aux contrats d'apprentissage est en cours sous la direction du professeur Pierre Mesnard, dans le cadre des travaux de l'Institut de recherches sur les civilisations de l'Occident moderne.

Des inventaires partiels ont déjà été publiés. Voir la liste en apprendice à la fin du volume.

Parmi tous les documents que nous offrent les minutes des notaires, deux sont particulièrement importants pour une étude de stratification sociale, ce sont les contrats de mariage et les inventaires après décès. A Paris, tout au moins, les testaments apportent peu de chose pour notre sujet. Ils seraient plus utilisables pour une recherche sur les attitudes devant la mort. Les minutes notariales ne sont pas une source parfaite. Non seulement de nombreux actes ont disparu au cours des temps, comme l'on peut le constater en comparant dans un certain nombre d'études les registres où ont été récapitulés jour par jour les actes passés à l'étude avec les liasses de ces actes qui nous restent aujourd'hui, mais encore et surtout les actes n'ont jamais concerné toute la population parisienne. A partir du moment où Colbert a fait commencer la publication mensuelle du nombre des mariages, naissances et décès des paroisses de Paris, habitude qui, après une interruption, fut reprise par ses successeurs au Contrôle général et continuée presque jusqu'à la fin de l'Ancien Régime, il est possible de comparer le nombre des mariages à Paris au nombre des contrats de mariage chez les notaires parisiens. L'on constate alors qu'environ 25 % de la population parisienne ne passait pas de contrat de mariage. Il n'y a pas de raison apparente pour qu'il en fût autrement en 1634, 1635 et 1636. Il est donc probable que les couches les plus pauvres de la population parisienne nous échappent. Cette lacune peut être en partie comblée par les archives hospitalières, tout au moins pour une partie des vagabonds et gens sans aveu et pour cette frange d'artisans qui se trouvaient aux limites de la misère où ils tombaient périodiquement. Mais ces archives sont très lacunaires pour la première moitié du XVIIe siècle.

Ce n'est pas la fortune et le revenu qui sont le bon moyen de distinguer les strates sociales les unes des autres dans le royaume de France. Un gentilhomme pauvre restait un gentilhomme, à part et au-dessus de beaucoup. Il y avait des conseillers de Parlement « pauvres » et d'autres « riches ». Tel « marchand-laboureur » était plus aisé que tel conseiller au présidial, à bien des degrés sociaux en dessus de lui. D'ailleurs, si, en gros, l'on était arrivé à faire coïncider la hiérarchie des fortunes et la hiérarchie sociale, il serait resté la question de savoir si c'était le degré de fortune qui classait ou le degré d'estime sociale qui attirait plus ou moins la fortune (1). L'attaque par les fortunes et les revenus paraissait mauvaise, plus propre à créer la confusion qu'à éclairer.

L'on pouvait espérer un meilleur résultat par les professions, puisque celles-ci constituent toute une partie de la division du travail social. L'on pouvait penser qu'une échelle des professions nous donnerait la hiérarchie sociale. Mais il est très difficile de dresser une échelle des professions. Si l'on prend comme critère les jugements

(1) Roland MOUSNIER, *Problèmes de méthode dans l'étude des structures sociales des XVIe, XVIIe, XVIIIe siècles*, in *Spiegel der Geschichte. Fes gabe für Max Braubach*. Zum 10 april 1964, Münster Westf., Verlag Aschendorff, 1964. Trad. espagnole, « Revista de Estudios Políticos », Madrid, 1964. Repris dans *La Plume, la Faucille et le Marteau*, p. 12-26.

de valeur des contemporains, l'on court le risque de ne tenir compte que de ce qui est conscient, avoué, convenu. Si l'on cherche d'autres critères, l'on risque d'en introduire de l'extérieur d'arbitraires, et qui ne conviennent pas au type de société que l'on a à étudier. Ce qui compte d'ailleurs au moins autant que la nature de la profession, c'est le rôle qui y est joué par tel individu et ceci très souvent nos documents ne nous permettent pas de le discerner. Lorsqu'un contrat de mariage qualifie un homme de « maçon », il nous est impossible de savoir à cette époque s'il s'agit d'un entrepreneur qui a vingt ouvriers sous ses ordres, ou d'un artisan travaillant avec un ou deux compagnons, ou d'un simple ouvrier n'ayant que ses mains. La dot ne décide rien, car elle varie avec le nombre des filles et une foule de circonstances qui nous échappent. Si un inventaire après décès permet de calculer la fortune, il arrive qu'un artisan reste finalement plus riche qu'un entrepreneur. Enfin, il nous est très vite apparu qu'à l'intérieur d'une même profession, l'on rencontrait assez souvent différents niveaux sociaux.

Mais ce que nous cherchons, le niveau social, et par une série de niveaux, la stratification sociale, est caractérisé par un ensemble de relations sociales, et de comportements dans ces relations. Parmi ces relations, les plus importantes sans doute sont les associations, et parmi celles-ci, l'association fondamentale, à cette époque et dans cette société, est le mariage. A cette époque et dans cette société, l'on se mariait à son niveau social. Il y avait des exceptions puisque nous connaissons les mésalliances et la mobilité sociale ascendante par le mariage. Mais, précisément parce qu'il s'agissait d'exceptions, en opérant sur un grand nombre relatif de cas même si nous manquions d'autres renseignements, les associations habituelles devaient nous apparaître et nous donner les groupes d'assistance et les strates sociales. Or, nous avions ici la chance que le contrat de mariage des notaires parisiens est très plein de renseignements. Il nous donne les qualités, professions, domiciles du marié, de la mariée, du père du marié et du père de la mariée, ces derniers renseignements très importants, car, à cette époque et dans cette société, le marié épouse le plus souvent la qualité, la profession, le rang social de son beau-père. Nous trouvons dans le contrat de mariage l'énumération des témoins du marié et de ceux de la mariée, avec leurs qualités et profession, leur degré de parenté, ou leur rôle d'amis. Nous pouvons donc reconstituer l'environnement social du couple, à condition d'avoir bien à l'esprit que c'est l'association-mariage qui nous fixe sur le groupe d'existence et sur le niveau social non le reste, car un fils peut être d'un autre niveau social et d'un autre groupe d'existence que son père ; dans un ensemble d'oncles, de tantes, de cousins, de cousines, témoins à un mariage, il peut y avoir plusieurs groupes d'existence et plusieurs niveaux sociaux représentés. Parmi les amis, peuvent figurer le maître qui veut honorer un fidèle serviteur, ou un vieux fournisseur, et tel grand seigneur peut signer au mariage du fils de son tailleur préféré. Autrement dit, les associations-mariages nous donnent des noyaux solides, qui déterminent le groupe d'existence et le niveau social ; les témoins, une nébuleuse de plus en plus raréfiée, que nous pouvons appeler l'environnement social.

Le contrat de mariage contient encore des renseignements sur les apports des époux. La dot y figure, assez souvent indiquée en nature, ou tout au moins en partie, et difficile à évaluer. L'apport de l'époux manque souvent, mais le douaire dû à la veuve, est toujours indiqué, et il y a un rapport peu variable entre le douaire et l'apport du mari, le tiers le plus souvent, parfois la moitié qui permet d'évaluer celui-ci, non avec exactitude, mais selon un ordre de grandeur capable de fixer les idées. Au reste l'on cherchait à équilibrer dot et apport de l'époux. Nous pouvons donc calculer la fortune au mariage, en prenant la précaution de distinguer un premier mariage d'un remariage, qui change tout, et dresser des échelles de fortune au mariage, utiles à rapprocher des échelles de niveau social. Le contrat de mariage nous apporte encore des signatures, à leur défaut des symboles individuels ou « mercs » ; ou une absence de signature pour telle ou telle personne, révélatrice d'un certain niveau d'instruction. Le contrat de mariage parisien est donc une source de premier ordre pour qui veut déterminer les groupes d'existence et les strates sociales.

Il est utile de le compléter par l'inventaire après décès. Les inventaires après décès sont nettement moins nombreux que les contrats de mariage, dans la proportion d'1 sur 3 environ. En effet, les héritiers ne faisaient pas dresser habituellement un inventaire après chaque décès. L'inventaire n'était établi que dans des cas prévus par la coutume de Paris, par exemple, lorsque le défunt laissait des enfants mineurs, lorsqu'il y avait des contestations entre héritiers.

L'inventaire après décès à Paris est une source sociale précieuse. En effet, allant d'un fascicule de 3 à 4 feuillets et moins à un volume de 300 folios et plus, il ne comporte pas seulement une énumération de biens. Sauf lorsqu'il s'agit d'assez petites gens, l'inventaire après décès contient le détail des papiers trouvés chez le défunt. Dans ces papiers, il y a des contrats de mariage de membres de la famille, qui permettent fréquemment non seulement de compléter les renseignements sur l'environnement social du défunt, mais plus encore de reconstituer la généalogie sociale de sa famille, et parfois même de tout son lignage, et de saisir éventuellement les phénomènes de mobilité sociale. Les papiers contiennent des actes d'achat et de vente d'offices, des quittances de gages, des notes sur les fonctions exercées par le décédé, grâce auxquels il est possible de suivre la carrière. L'on trouve encore les achats et ventes de terres et de maisons, les constitutions de rentes, qui retracent l'histoire de la fortune, et montrent sa nature, plus importante encore que son niveau. Les prêts consentis par le défunt laissent discerner un réseau d'influences, à différents niveaux sociaux. S'il s'agit d'un marchand, d'un maître de métier, les lettres de change, les billets à ordre, les créances et dettes de toute nature, renseignent sur ses affaires, leurs techniques, sa clientèle, le volume de son trafic et de ses fabrications, l'aire géographique de ses relations, indications complétées par les stocks de matières premières et de marchandises, et par la description de son outillage, qui permet une technologie du métier. Le style de vie ressort de la description pièce par pièce du domicile du défunt, de celle des vêtements, avec leur état et leur évaluation, celle des bijoux, du mobilier, du décor, tableaux, tapisseries, argenterie, étain sonnant, de la bibliothèque, des ustensiles de cuisine, éventuellement de l'écurie, des chevaux, du carrosse, des réserves de bois, de foin, de vin, etc., que contient l'inventaire. Les sujets des livres, des tapisseries et des tableaux renferment même d'utiles données sur la mentalité du décédé, ses préoccupations intellectuelles, religieuses, sa spiritualité, son loyalisme monarchique, etc.

Naturellement, il y a des précautions à prendre pour utiliser un inventaire après décès. Il faut s'assurer qu'il concerne bien toute la fortune du défunt et non pas seulement ce qui se trouvait au lieu où il est décédé. L'inventaire après décès qui compte est celui du chef de famille, celui d'une épouse ou d'une veuve ne peut servir que de complément éventuel. Le total de fortune auquel on arrive n'est qu'un minimum, car il y a des dissimulations et des sous-évaluations. Mais pour établir une échelle des fortunes, une série de niveaux relatifs, il n'est pas grave d'avoir à comparer une série de minima. Une bibliothèque doit être analysée, car des volumes transmis par héritage, ou des éditions acquises par bibliophilie ne renseignent guère sur les préoccupations du possesseur. Qu'a lu le défunt de tous ses livres, qu'a-t-il médité, qu'est-ce qui a influé sur lui, a tallé en lui ? Et très souvent d'ailleurs les inventaires ne nous donnent les titres et les auteurs que des in-folio et des in-4°. Très souvent pour les in-8° et les livres de format inférieur, pour les brochures, peut-être les plus importants pour l'ensemencement intellectuel des possesseurs, ils se contentent de mentionner des paquets. Des réflexions semblables peuvent être faites à propos des tableaux et des tapisseries, etc. Mais dire qu'il faut faire la critique historique des inventaires comme de tous les documents qu'utilise l'historien, ne diminue en rien la valeur de cette incomparable source de l'histoire sociale parisienne.

Le mode de dépouillement de ces documents de base, les contrats de mariage, les inventaires après décès, qu'il soit effectué par le professeur, par ses assistants, par des ingénieurs de recherche et des documentalistes du Centre national de la recherche scientifique, par des vacataires, par des étudiants, ne pouvait être laissé au choix de chacun. Il fallait être sûr que même des débutants en recherche comme des étudiants de diplôme d'études supérieures aujourd'hui de maîtrise, ou des travailleurs étrangers à l'histoire comme la plupart des vacataires, ne négligeraient rien de significatif pour l'enquête dans les documents. Il fallait que les fiches de travailleurs divers fussent identiques pour être utilisées et comparées. L'on a donc été conduit à établir des fiches-types, comportant un jeu de cases, chacune des cases avec les données extraites des documents. Il fut assez facile d'établir la fiche-type pour les contrats de mariage, actes relativement simples. C'est une vraie fiche, avec recto-verso. Il fallut plusieurs années pour aboutir à un résultat satisfaisant pour les inventaires après décès, étant donné la complexité et la diversité de ces documents. Finalement, notre fiche-type pour le dépouillement des inventaires après décès est un fascicule d'une dizaine de feuillets. Nous tenons ces fiches-types à la disposition des chercheurs.

Nous avons effectué et fait effectuer depuis des années des dépouillements considérables et nous disposons maintenant du début des guerres de religion à la Révolution, de milliers de contrats de mariage d'inventaires après décès. Nous estimons que pour une étude complète, il nous faut encore bien des dépouillements. Mais nous pensons de notre devoir de porter à la connaissance des chercheurs la méthode employée et la nature des résultats qu'il est possible d'obtenir. Les statisticiens nous affirment qu'un échantillon de 1 000 cas suffit pour atteindre déjà, dans notre genre de recherches, un haut degré de probabilité. Nous avons donc décidé de constituer de tels échantillons pour différentes périodes, afin de jalonner les deux derniers siècles de l'ancienne société parisienne avant la Révolution, de commencer par un échantillon pour les années 1634, 1635, 1636. Ces années ont été choisies moins parce qu'elles coïncident avec l'immense mise de fonds que le gouvernement de Louis XIII et de Richelieu dut faire pour passer de la guerre « couverte » contre les Habsbourgs à la guerre « ouverte », en 1635, pendant la guerre de Trente ans, moins parce que 1635, est l' « année de Corbie », quand, après que la surprise de Corbie eût permis aux Espagnols de forcer la barrière de la Somme et de menacer Paris, le roi Louis XIII dut demander à sa capitale les moyens, en argent et en hommes, de former une armée dont il prit la tête pour s'opposer à l'avance de l'ennemi, que parce que c'est le moment où les minutes notariales deviennent plus nombreuses, où, pour trois années, période trop courte pour qu'il s'y présentât d'importants changements sociaux, il est possible de réunir commodément un échantillon, de 1 000 contrats de mariage, parce que, aussi, ce sont les années qui précèdent juste l'établissement du « rôle des boues » dit de 1637, rôle des taxes mises sur les Parisiens pour le nettoiement des rues, qui ne nous donne que les noms des propriétaires et des « principaux locataires » responsables de la levée des taxes, mais nous fournit d'amples renseignements sur les rues et sur le nombre des maisons, parce qu'enfin, c'est le moment où, en 1637, Richelieu fit dresser toute une évaluation du nombre des maisons, du nombre d'hommes capables de porter les armes, et des besoins en subsistance de Paris, pour le cas d'un siège (1).

Nous avons choisi, pour dresser cet échantillon, de dépouiller les notaires de quatre quartiers de Paris : Les Halles, Saint-Eustache, Saint-Opportune, Saint-Germain-l'Auxerrois (2). La présence des

(1) *Bibliothèque Nationale Ms ;* Joly de Fleury, n° 1428, fos 1-4. PP. A. de Boislisle, Mémoire sur la généralité de Paris, 1881, IIe appendice, pages 658, 659.
(2) Etudes VII, X, XIII, XV, XVI, XX, XXXVI, XXIV, XXXIX, XLI, XLV, LIX, LXI, XCV, XCVI.

Halles et du Port du Louvre, avec leur monde d'artisans, de commerçants, de portefaix et de débardeurs, celle du Louvre et de grands hôtels seigneuriaux sur les quartiers Saint-Eustache et Saint-Germain-l'Auxerrois, nous donnait une grande chance d'obtenir une sorte de coupe verticale des strates sociales parisiennes, de la grande noblesse aux compagnons de métier ; l'attraction exercée par ces quartiers sur l'ensemble de Paris d'où venaient des gens pour leurs affaires, leur travail, leur carrière, nous donnait chance d'obtenir des exemples provenant de tout Paris. De fait, nous disposons de 1 073 contrats de mariage, 70 proviennent de provinciaux. Reste 1 003. Sur ce nombre, 361 contrats de mariage ont été passés par des épouses dont le mari habite l'une des paroisses dans lesquelles sont compris nos quartiers ; 184 de la paroisse Saint-Eustache, 129 de la paroisse de Saint-Germain-l'Auxerrois, 4 de la paroisse Saint-Opportune, 7 de la paroisse des Saints-Innocents, 36 de la paroisse Saint-Sauveur. Mais 642 habitaient dans d'autres paroisses parisiennes, 177 dans des paroisses non précisées, 301 sur la rive droite, dans la Ville, 104 sur la rive gauche, dans l'Université, 61 dans l'Ile de la Cité. Les trois parties que les contemporains reconnaissaient dans Paris sont donc représentées, surtout la Ville qui totalise ici 662 mariages, ce qui correspond approximativement à la proportion de la population mariable pour chaque partie de la capitale. Nous ajoutons aux contrats de mariage 385 inventaires après décès. Notre échantillon est donc assez représentatif.

Pour vérifier si nous avons affaire à une société d'ordres ou à une société de classes, nous avons pensé qu'il fallait renoncer à toute échelle qui nous donnerait surtout une stratification économique, comme, par exemple, une échelle des fortunes, une échelle des revenus, une échelle de style de vie, telle que la « living-room scale » de Chapin. Une échelle des fortunes peut d'ailleurs contenir d'utiles suggestions, car, en principe, dans une société donnée, la récompense sociale en argent ou en autre nature attribuée par la société pour les fonctions sociales doit correspondre en gros à son échelle d'estime des fonctions sociales et des états sociaux. Mais elle ne pouvait convenir à notre société française de la première moitié du XVIIe siècle, car l'importance des qualités vient tout déranger : un gentilhomme « pauvre » reste un gentilhomme. De plus, il faudrait tenir compte de la nature de la fortune. Tout est différent si elle provient ou non d'une activité productrice des biens matériels, si cette activité est ou non de type capitaliste, si elle provient au contraire de traitements, pensions, gratifications ou de participations aux finances de l'Etat et au crédit public sous ses diverses formes. Il faudrait tenir compte du rapport de la fortune à la situation sociale : celle-ci est-elle cause ou conséquence de la place dans la hiérarchie sociale ?

Pour toutes ces raisons, une échelle à base économique est un mauvais indicateur de la hiérarchie sociale. Une échelle fondée au moins en partie sur l'estime sociale, telle que celle de Lloyd Warner pour Yankee City (Newbury-Port), nous aurait fait entrer dans un cercle vicieux : admettre comme réalité ce qui n'était peut-être qu'opinion. En effet, après avoir cherché dans les écrits contemporains de la période étudiée, les différents degrés d'estime, de dignité, d'honneur, dans lesquels ils tenaient les différentes fonctions sociales et les différents états sociaux, il s'agit précisément de les vérifier par les comportements réels des contemporains.

Nous avons donc pensé qu'il nous fallait chercher ces comportements et des comportements effectivement sociaux. Ce qui est particulièrement social, ce sont les relations entre les hommes et entre les groupes d'hommes. Les principales de ces relations sont de deux sortes : les associations et les conflits. Ces deux formes sont complémentaires. Nous manquons de documents suffisants sur des luttes sociales, émeutes, grèves, révoltes, à Paris, dans cette période. Restaient les associations. Parmi celles-ci l'association-mariage était sans doute la plus importante dans cette forme de société. Un homme épousait moins une femme que le statut social de son père. Celui-ci donnait sa fille moins à un homme qu'au statut social du père de cet homme et à celui que l'on pouvait espérer de cet homme dans l'avenir, s'il était jeune. Le Cardinal de Richelieu avait promis une de ses nièces à un gentilhomme. A quelque temps de là, il lui écrit qu'il a dû la donner à un autre, mais il lui propose sa cadette. Aucune importance, répond le gentilhomme, la fille m'importe peu : « C'est Votre Eminence que j'épouse ». L'on trouve l'écho de ces façons de voir dans la littérature du temps.

Autrement dit, par le mariage, l'on associait des familles, des « maisons », des lignages, de statut social correspondant. Ainsi, par les mariages, nous pouvons distinguer les différents groupes sociaux dont se composait la société et discerner leur hiérarchie par les qualités prises par les mariés et leurs parents devant des notaires suivant des règles assez précises. Deux risques d'erreur apparaissent : les usurpations de qualité et les mésalliances. Les usurpations de qualité semblent avoir été assez difficiles et assez peu nombreuses. Les mésalliances, qui favorisaient des cas de mobilité sociale ascendante, restaient aussi assez peu nombreuses et aisément discernables. Un risque d'erreur plus important réside dans un phénomène très répandu dans nombre de sociétés ; c'est l'hypergamie de femmes. Une fille, trouve à se marier, pour des raisons de beauté ou de dot, dans une strate sociale immédiatement supérieure ou de peu de degrés supérieure à la sienne. Dans une société, pratiquement patrilinéaire, comme la société française des XVIe, XVIIe, XVIIIe siècles, il faut partir des maris. Voir qui les pères font épouser à leur fils et à qui ils donnent leurs filles peut conduire à des résultats assez différents. Enfin, il y aurait risque d'erreur à ne pas tenir compte du père de l'époux. Beaucoup de nos gens, en effet, se trouvaient au moment de leur mariage au début de leur carrière. De deux avocats, l'un fils de procureur, va le rester toute sa vie ; l'autre, fils de conseiller d'Etat, est destiné à devenir conseiller au Parlement, maître des requêtes, conseiller d'Etat. Le statut social de nos deux avocats n'est pas le même. Voici un époux qui prend la qualité d'écuyer. Son statut social est tout différent, s'il s'agit d'un fils d'écuyer, donc d'une famille noble, quoique peut-être aux premiers degrés de la noblesse ou s'il est fils de « maître » (avant-nom), c'est-à-dire fils « d'avocat, sieur de », par exemple, d'une famille de notables qui cherche à s'anoblir.

Nous avons donc fait dépouiller au moyen de nos fiches-types 1 073 contrats de mariage et 386 inventaires après décès qui apportent d'utiles compléments. Nous avons centré nos efforts sur les groupes qualité-profession des mariés et de leurs parents. Le statut social des grands-parents aurait été important à connaître. Mais ils apparaissent trop rarement dans nos documents. Les données sur les oncles, les tantes, les frères, les sœurs, les cousins et les cousines étaient bien plus nombreuses, mais, par souci de rigueur, nous les avons laissé de côté. Quelle que fût l'importance du lignage, nous ne pouvions écarter le risque de trouver des membres d'une même famille à différents niveaux sociaux. Nous nous en sommes donc rigoureusement tenu aux mariés et à leurs parents qui nous permettaient de discerner ou une continuité du statut social ou une mobilité sociale. La masse des fiches-types a été considérée comme un système clos. Chaque document a reçu un numéro d'ordre. Les inventaires après décès ont été numérotés de 1 à 386, les contrats de mariage de 387 à 1373, pour les retrouver aisément, en cas de besoin de vérification ou de complément. Tous les documents furent codés.

M. Philippe Cibois, maître-assistant, docteur de troisième cycle en informatique, mis à notre disposition par le professeur Barbut, directeur du département d'informatique de l'Université de Paris-Sorbonne, nous a apporté un précieux concours dans l'établissement d'un programme pour l'ordinateur.

L'ordinateur nous fournit, en partant des qualités, des tableaux à sept colonnes : qualité de l'époux, profession de l'époux, qualité du père de l'époux, profession du père de l'époux, qualité du père de l'épouse, profession du père de l'épouse, numéro de l'acte. Dans cette société l'épouse a rarement une profession. L'on rencontre des servantes, des sages-femmes, des maîtresses-lingères, en somme assez peu de femmes, exerçant une profession. Nous avions, au début, demandé à l'ordinateur uniquement des numéros de code. Mais très vite, il est apparu que l'ordinateur pouvait nous donner directement les qualités et professions, en abrégé, et les tableaux ainsi établis sont évidemment bien plus lisibles et plus faciles à utiliser.

Nous sommes partis le plus souvent des qualités. En effet, en principe, dans cette société, tout le monde a une qualité, que suit souvent l'indication d'une profession. « Marchand » ce n'est pas une profession, c'est une qualité. Dans l'expression « marchand drapier », « marchand » indique la qualité, c'est-à-dire le rôle dans le procès de production, « drapier », le métier. « Maître », « compagnon », ce sont des qualités. Dans l'expression, « maître menuisier », « maître » est la qualité, « menuisier », le métier. « Laboureur » est une qualité. Les

« laboureurs » peuvent exercer différents métiers : fermier, métayer, propriétaire exploitant, etc. Ces distinctions ne sont pas propres à Paris et au XVIIe siècle. On les rencontre au XVIIIe siècle et en province (1).

Une qualité très embarrassante est celle de « bourgeois de Paris ». C'est d'abord une qualification juridique, décernée en principe au moyen de lettres de bourgeoisie par le Bureau de la ville de Paris, composé du prévôt des marchands, des échevins et des conseillers de la ville. Il désigne les chefs de famille habitant Paris, qui y ont leur domicile principal, attesté par le curé de leur paroisse depuis au moins un an, en droit, en fait ceux qui y ont habité pendant un laps de temps qui peut aller jusqu'à trente ans ; qui acquittent personnellement, ce qui est une faveur, les taxes municipales, qui servent dans la milice. Pour être « bourgeois de Paris », il faut donc être propriétaire ou principal locataire et avoir reçu du Bureau de Ville le pouvoir de payer personnellement les taxes municipales. Périodiquement les chefs de quartier ou quartiniers recensaient les « bourgeois de Paris » et les candidats à ce titre. Selon le quartier, selon la valeur des propriétés et des loyers, l'expression pouvait donc désigner des gens très différents. Un marquis peut s'intituler « bourgeois de Paris », car, alors, il jouissait des privilèges de la ville. Mais, rue Saint-Antoine, un menuisier pouvait être « bourgeois de Paris » et un savetier à l'extrémité nord de la rue Saint-Martin. Parmi les gens de métier, ceux qui étaient venus des provinces pour s'établir dans la capitale tenaient beaucoup au titre de « bourgeois de Paris ».

Dans la pratique, chez les notaires, dans les cas précédents, la qualité de « bourgeois de Paris » est associée à d'autres et à une profession. Lorsque l'historien rencontre la qualité de « bourgeois de Paris » seule, elle désigne les « bons bourgeois », à l'exclusion des membres des cours souveraines, de ceux des corps des marchands, des officiers de la ville, des jurés des métiers. « Bourgeois de Paris », ce sont donc les gens qui vivent de leurs rentes, noblement, sans pratiquer métier ni marchandise, ou les « financiers » c'est-à-dire non pas les banquiers mais ceux qui maniaient les deniers du roi, fermiers d'impôts, partisans et traitants des « affaires extraordinaires » cautions et croupiers de tels personnages (2). C'est encore bien mieux le cas lorsqu'il s'agit d'un « noble homme, bourgeois de Paris ».

La qualité de « bourgeois de Paris » est attribuée aussi à des isolés qui n'appartiennent ni à un groupe, ni à un corps particulier. Enfin, elle s'applique à des gens qui n'exercent pas d'activité déclarée, mais qui peuvent en avoir une. Elle désigne parfois d'assez minces rentiers, anciens marchands ou maîtres de métier retraités.

Il y a des groupes de qualités qui vont ensemble et qu'il faut prendre comme un tout, en se gardant bien de les dissocier : « Noble homme... conseiller du roi », « noble homme, maître... conseiller du roi », « noble homme... maître », « noble homme... bourgeois de

(1) AGULHON (Maurice), *Mise au point sur les classes sociales en Provence à la veille de 1789*, « Provence historique », tome XX, avril-juin 1970, p. 101-108.
(2) H2 1805, f° Vv°, Délibérations du Bureau de la ville de Paris, 5 août 1636.

Paris », « honorable homme,... bourgeois de Paris », « honorable homme,... sieur », « honorable homme... maître », « honorable maître (avant-nom) », « honorable homme, marchand », « honorable homme, marchand,... bourgeois de Paris », « honorable homme... bourgeois de Paris, maître » (métier), « honnête homme,... bourgeois de Paris », etc.

Nous avons attaqué la recherche de la hiérarchie sociale par les qualités et tout de suite se sont dégagées des alliances entre des groupes de qualité qui semblaient bien constituer des groupes d'existence inclus dans différentes strates sociales. Mais sur 1 003 contrats utilisables, 252 époux (25 %) n'ont pas pris de qualité. Il fallait donc utiliser les professions. D'ailleurs, il s'avérait que même pour la grande majorité, celle des gens arborant une qualité, celle-ci ne précisait pas suffisamment le statut social des individus concernés et qu'il fallait rapprocher les professions des groupes de qualité.

CHAPITRE II

LA STRATIFICATION SOCIALE

Opérant ainsi sur les tableaux à sept colonnes fournis par l'ordinateur, nous sommes arrivés à dégager 9 strates sociales, incluant des sous-strates, c'est-à-dire, s'il s'agit toujours d'une société d'ordres, 9 ordres, incluant des « états ». Nous les présentons dans un ordre descendant qui convient mieux à une société qui se veut très hiérarchisée.

I. — La strate supérieure comprend les « barons », les « messire, chevalier, seigneur de », les « messire, seigneur de ». C'est un groupe de haute noblesse et de gentilhommerie, dont les membres s'allient entre eux dans 55 % des cas, et pour le reste avec des « noble homme », quand ils ont un office à la cour ou une seigneurie, c'est-à-dire avec la partie supérieure des notables.

Cette strate se subdivise elle-même en trois niveaux.

1. La haute noblesse. Un époux est baron, gentilhomme ordinaire de la chambre du roi, fils de baron et son épouse est fille de baron ; un autre est maréchal de France, grand louvetier de France, fils de baron, son épouse est simplement fille de noble homme, premier valet de la chambre du roi, mais la dot est de 280 000 livres ; un troisième, écuyer de la grande écurie du roi, épouse la fille d'un messire, chevalier, gentilhomme de la maison du roi.

2. La bonne gentilhommerie. Un messire, chevalier, seigneur de, épouse la fille d'un messire, seigneur de ; un messire, chevalier, seigneur de, fils de messire, seigneur de, prend la fille d'un simple noble homme, mais celui-ci est sieur de, donc propriétaire d'une seigneurie, ce qui lui donne une dignité sociale marquée par un titre dont il peut accompagner son nom ; un messire, seigneur de, gentilhomme de la chambre du roi, s'allie à la fille d'un noble homme, officier des menus offices de la Cour, dot 32 000 livres ; un messire, chevalier, seigneur de, gentilhomme de la maison du roi, fils de messire, épouse la fille d'un messire, seigneur de, conseiller au Parlement ; un messire, seigneur de, prend la fille d'un messire, seigneur de ; un messire, seigneur de, la fille d'un noble nomme, sieur de, avec une dot de 300 000 livres.

3. La noblesse de fonctions. Un maître des requêtes, fils d'un premier président au Parlement du Dauphiné, épouse la fille d'un messire, seigneur de, secrétaire des commandements de Sa Majesté ; un messire, conseiller du roi, maître des requêtes, la fille d'un noble homme, premier valet de la garde-robe du roi.

C'est également à ce niveau qu'il faudrait placer les « monsieur maître ». D'abord ceux des cours souveraines de Paris : tel ce conseiller à la Cour des Aides, fils de messire, chevalier, seigneur de, intendant en la justice de, qui s'allie à la fille d'un messire, conseiller du roi, président au Parlement de Metz. Ensuite, ceux des cours souveraines de Paris, fils de provinciaux : un conseiller au Parlement de Paris, fils de conseiller du roi, garde des Sceaux au Présidial de, qui accepte la fille d'un maître, avocat au Conseil du roi, donc officier ministériel.

Le groupe nous offre peut-être un cas de mésalliance : un messire, seigneur de, qui épouse la fille d'un noble homme, maître, avocat au Parlement de Paris, donc d'un « bourgeois », selon les gentilshommes. Mais comme il n'y a aucune donnée sur les antécédents de ce messire, seigneur de, il doit s'agir d'une haute noblesse récente.

Lorsque des messires épousent des filles de noble homme, ceci ne met pas socialement des nobles hommes au niveau des messires. Il n'y aurait équivalence sociale dans cette société à dominante masculine que si des nobles hommes épousaient habituellement des filles de messire. Mais c'est ce que nous ne trouvons pas.

II. — La seconde strate serait composée des « écuyers, seigneurs de », des « écuyers », sans seigneurie, mais authentiques gentilshommes, des « sieurs de », de noblesse douteuse, mais propriétaires de seigneuries.

1. Un premier « état » formant groupe d'existence est constitué par des « écuyers, seigneurs de », petits gentilshommes d'épée. Un gentilhomme ordinaire de la chambre du roi épouse la fille d'un conseiller, notaire, secrétaire du roi, maison et couronne de France, par son office gentilhomme de quatre générations. Un mousquetaire du roi prend pour femme la fille d'un garde du corps du roi. Un garde du corps du roi se marie avec une demoiselle, suivante d'une grande dame.

2. Au-dessous de ceux-ci des « écuyers, sieur de », qui ne sont pas en service dans la maison militaire du roi et qui ne donnent aucun renseignement sur leur père, donc des nobles qui ne sont peut-être pas encore gentilshommes. Quatre « écuyers, sieur de » épousent des filles « d'écuyer, sieur de ».

3. Vient ensuite un « état » de simples écuyers, sans seigneurie ni service du roi, mais que leurs pères permettent de classer indubitablement parmi les gentilshommes. D'abord deux simples « écuyers », mais fils d'écuyer, seigneur de, qui épousent l'un la fille d'un écuyer, l'autre la fille d'un noble homme, contrôleur ordinaire de la maison

du roi, relevé par son office. Ensuite, un écuyer, fils d'écuyer, capitaine gouverneur du château de, qui prend la fille d'un « noble homme, élu », c'est-à-dire d'un magistrat d'une circonscription financière. Ensuite, nous avons la mésalliance de nostalgie, un écuyer, fils d'écuyer, sieur de, originaire de Gascogne, qui accepte la fille d'un honorable homme, vendeur de poisson. Tous ces écuyers, sans profession, sont peut-être d'ailleurs des cadets.

4. Plus bas, se trouvent des nobles de fonction, un écuyer, fils de messire, procureur général au Parlement, qui s'allie à la fille d'un noble homme, avocat au Privé Conseil, et un écuyer, conseiller, notaire et secrétaire du roi, maison et couronne de France, fils d'écuyer, qui prend la fille d'un conseiller, notaire, secrétaire du roi, maison et couronne de France.

5. Viennent ensuite parmi les « écuyer, sieur de », des gens de noblesse probablement très récente, et plutôt des notables en voie d'anoblissement : un trésorier de France, qui épouse la fille d'un noble homme, receveur des tailles ; un « verdier des forêts de », fils de maître, receveur général de la Comté de », qui se contente d'une fille de chambre ; enfin, un avocat au Parlement qui prend la fille d'un « noble homme, bourgeois de Paris ».

6. Plus bas, un « état » confus d'anoblis, de noblesse graduelle, qui sont fort près des notables. Parmi les « écuyers, sieur de » un cavalier d'une compagnie de chevaux-légers, qui épouse la fille d'un marchand ; un, sans profession, dont le père est trésorier général du domaine de Bourbonnais, qui épouse la fille d'un honorable homme, « marchand » ; quatre, qui ne donnent aucun renseignement sur leur père, et qui épousent, le premier, la fille d'un « noble homme, sieur de », lieutenant général de cavalerie légère, le second, la fille d'un « maître », avocat au Parlement, le troisième, la fille d'un « maître honorable homme », procureur au Châtelet, le quatrième, la fille d'un « bourgeois de Paris ».

Parmi les simples « écuyers », l'un, fils d'un capitaine d'une compagnie d'infanterie, qui se marie avec la fille d'un « écuyer », un autre, exempt des gardes du corps, fils de « noble homme, sieur de », sans profession, quelque ancien marchand, qui prend la fille d'un « noble homme, médecin ordinaire du roi » ; un gentilhomme de la reine qui accepte une fille de « maître, commis de » ; enfin, le dernier qui se marie avec la fille d'un maître de forge. Combien, sur tous ceux-ci ont véritablement droit au titre d'écuyer ?

7. L'on pourrait peut-être rapprocher de ce dernier « état » de simples « sieur de », qui ne sont certainement pas nobles, mais que leur qualité de seigneur rapproche des petits nobles. Tels un fils de « bourgeois de Paris » qui épouse la fille d'un écuyer ; un valet de chambre de la reine, qui prend pour femme la fille d'un écuyer, sieur de, garde du corps du roi ; un autre, fils de « bourgeois de Paris », qui se marie avec la fille d'un écuyer de cuisine de la reine ; un dernier qui s'allie à la fille d'un soldat.

Les « états » 6 et 7 étaient probablement imbriqués avec ceux de la strate III.

III. — Vient ensuite une strate constituée par les « noble homme, sieur de », les « noble homme, conseiller du roi », les « noble homme, maître », les « conseillers du roi », un monde d'officiers et d'hommes de loi, composite, des gens en voie d'ascension, formant transition entre les nobles véritables et les bourgeois, un monde imbriqué avec les « états » 6 et 7 de la strate II, mais distinct de ceux-ci. La qualité de « noble homme » qui désignait un noble véritable au XVIe siècle, s'était dévaluée et, au XVIIe siècle, ne désignait plus qu'un notable.

1. Le premier « état » de cette strate semble constitué par l'échelon inférieur des membres des cours souveraines, par exemple les auditeurs à la Chambre des Comptes, qui forment groupe d'existence. Un noble homme, conseiller du roi, auditeur en la Chambre des Comptes, fils de valet de chambre ordinaire de la reine, épouse la fille d'un noble homme, conseiller du roi, auditeur en la Chambre des Comptes. Un maître, conseiller du roi en la Prévôté et siège du Châtelet, fils de noble homme, conseiller du roi, audiencier en la Chambre des Comptes, épouse la fille d'un écuyer, sieur de.

2. Le second « état » serait constitué par les trésoriers généraux de France, qui réclament l'assimilation aux membres des cours souveraines, et par les grands officiers de finance, qui épousent des filles de leurs milieux et des filles de « noble homme, bourgeois de Paris ». Un trésorier de France à Paris épouse la fille d'un noble homme, conseiller du roi, trésorier de l'extraordinaire des guerres. Un autre, fils d'un noble homme, valet de chambre ordinaire du roi, se marie avec la fille d'un « noble homme, bourgeois de Paris ». Un troisième, qui se qualifie seulement « sieur de », comme si la qualité de seigneur éclipsait celles de conseiller du roi et de noble homme, prend la fille d'un noble homme, maître, trésorier de France. Un noble homme, sieur de, contrôleur général de l'artillerie de France, s'allie à la fille d'un noble homme.

3. L' « état » des élus, des receveurs, des commissaires, des contrôleurs provinciaux, s'allie à des nobles hommes, des avocats, des bourgeois de Paris, des officiers de la maison du roi. Un noble homme, conseiller du roi, commissaire ordinaire des guerres, épouse la fille d'un noble homme, avocat ; un noble homme, conseiller du roi, contrôleur extraordinaire des guerres, la fille d'un tailleur de la Cour ; un receveur des tailles dans l'élection de Clermont, fils d'un honorable homme, bourgeois de Paris, la fille d'un honorable homme, bourgeois de Paris. Un conseiller du roi, contrôleur provincial de l'artillerie de France, prend la fille d'un maître (avant-nom), officier comptable ; un conseiller du roi, receveur triennal des Aides, fils de conseiller du roi, officier comptable, celle d'un bourgeois de Paris, marchand de vin, de ce groupe qui se prétendait le septième corps, égal en qualité aux six corps : merciers, fourreurs, épiciers, drapiers,

bonnetiers, orfèvres. Un noble homme, sieur de, contrôleur des droits pour le vin, condescend à épouser la fille d'un maître (avant-nom), procureur au Châtelet, ce qui est une mésalliance, car la condition de procureur était estimée vile.

4. Un « état » un peu inférieur est constitué par des avocats de diverses sortes. Un noble homme, sieur de, avocat au Grand Conseil, se contente néanmoins de la fille d'un bourgeois de Paris. Un noble homme, maître, avocat au Parlement, fils de noble homme, maître, avocat, épouse la fille d'un noble homme, procureur du roi, ce qui est une alliance ascendante. On peut en rapprocher un noble homme, maître, conseiller secrétaire du roi, qui s'allie à la fille d'un bourgeois de Paris.

5. Viennent ensuite des fils d'honorable homme, marchand, qui deviennent noble homme, sieur de, par l'acquisition d'une seigneurie. Tels ce noble homme, sieur de, fils d'honorable homme, marchand maître qui trouve à épouser la fille d'un honorable homme, conseiller du roi, trésorier des gardes du corps ; cet autre noble homme, sieur de, fils d'honorable homme, marchand, qui épouse la fille d'un honorable homme, apothicaire ordinaire d'un grand seigneur. L'on pourrait sans doute en rapprocher ce noble homme, sieur de, chirurgien ordinaire de grande maison seigneuriale, qui prend la fille d'un honorable homme, bourgeois de Paris, marchand.

IV. — La strate suivante comprend une partie des gens prenant la qualité de « maître », placée avant leur nom. Il s'agit essentiellement d'avocats, de procureurs et de notaires. Dans cet ordre, deux « états » inégaux se distinguent : si ces gens exercent la même profession que leur père, ils se marient dans leur profession ; s'ils sont des hommes nouveaux, ils épousent des filles de marchands ou des filles d'artisans relevés par le service des grands de la Cour. En dehors de cet ordre, d'autres personnes font précéder leur nom de la qualité de « maître ». Ce sont d'abord les secrétaires de la chambre du roi, que leurs alliances montrent au niveau des maîtres artisans supérieurs. Ce sont ensuite les greffiers, les huissiers, les praticiens, qui s'allient entre eux et avec des maîtres artisans.

1. Dans le premier « état », nous trouvons un avocat, fils de maître clerc au Châtelet, qui épouse une fille d'avocat ; un procureur au Parlement, fils d'avocat au Parlement, qui épouse une fille de procureur au Parlement ; un procureur au Parlement, fils de procureur du Parlement, une fille de procureur au Parlement, un procureur au Châtelet, fils de procureur, écuyer, sieur de, qui se marie avec la fille d'un honorable homme, huissier au Châtelet ; un procureur au Châtelet, fils de maître procureur, avec la fille d'un maître huissier au Châtelet ; un notaire, fils de maître, notaire, avec la fille d'un maître, notaire au Châtelet.

2. Le second « état », comprend un procureur, fils de marchand, qui épouse la fille d'un procureur au Parlement ; un procureur, fils de marchand, la fille d'un tailleur et valet de chambre de Monsei-

gneur ; un procureur au Parlement, fils de marchand, la fille d'un brodeur ordinaire du roi ; un procureur au Parlement, la fille d'un premier tailleur et valet de chambre du roi ; un procureur au Parlement, la fille d'un sieur de ; un notaire, fils de libraire, la fille d'un marchand.

V. — Avec les « honorables hommes », les derniers qui ont qualité d'honneur, selon Loyseau, nous atteignons le niveau supérieur du commerce, le monde des dirigeants d'entreprise. Presque toujours leurs qualités forment un groupe. Entrent dans cette strate, les honorable homme, marchand ou maître-marchand, les honorable homme, marchand, bourgeois de Paris, les honorable homme, marchand privilégié ou marchand suivant la Cour, la plupart des marchands bourgeois de Paris, une partie des privilégiés suivant la Cour. Les contemporains mettaient probablement entre ces groupes de qualités des nuances qui nous échappent aujourd'hui. Ces groupes ne nous paraissent pas essentiellement différents les uns des autres.

Des honorables hommes, marchand, bourgeois de Paris, nous avons 23 mariages. Les époux sont, de leur métier, fripier, orfèvre, tapissier, épicier, apothicaire-épicier, perruquier, marchand libraire ou, pour huit d'entre eux, tout simplement marchand, terme qui peut désigner des spécialistes du commerce en gros, à longue distance et de la banque. Leurs pères sont indiqués dans 10 cas seulement. Le père de l'apothicaire-épicier est un juré du roi ès œuvres de maçonnerie et son fils épouse la fille d'un chapelier. Le père de l'épicier est un maître (avant-nom), procureur au Châtelet. Un honorable, marchand, maître libraire-imprimeur est le père d'un marchand. Les autres pères sont des marchand, bourgeois de Paris, des marchand, des bourgeois de Paris, un honorable homme, maître fournisseur d'épées. Les épouses sont filles d'hommes sans qualité dans 6 cas, d'honorable homme, bourgeois de Paris dans 2 cas, de marchands dans 2 cas, de juré marchand de grains (qui épouse un chandelier), d'huissier de la salle du roi (qui épouse un perruquier), d'huissier de la Sainte-Chapelle (qui épouse un marchand-libraire), d'un premier caporal de la citadelle de Caen (qui épouse un mercier), de maîtres, l'un verger raquettier, l'autre batteur d'or et d'argent, simples artisans.

Des « honorable homme, marchand », ou « maître-marchand », nous trouvons 13 mariages. Les époux sont, de leur métier, libraire, orfèvre, apothicaire, parfumeur, mégissier, frangier, tapissier, passementier, fripier, cordonnier. Sept sont fils d'honorable homme, marchand. Trois de ceux-ci exercent le métier de leur père, le fripier, l'apothicaire, le tapissier. Sur 13, 11 épousent des filles d'honorable homme, marchand, dont 5 se qualifient en outre bourgeois de Paris. Le fripier, fils de fripier, épouse une fille de fripier, le frangier, fils de teinturier, une fille de frangier ; le tapissier, fils de tapissier, une fille de vigneron ; le libraire, une fille d'imager.

Les honorable homme du roi ou de la maison du roi, fournissent 6 mariages. Les époux sont chirurgien, barbier-chirurgien, chapelier, tailleur, juré pour le roi ès œuvres de maçonnerie, écuyer de cuisine du roi. Le chapelier est fils de maître-chapelier, le tailleur, fils d'honorable homme, tailleur du roi. Le barbier-chirurgien du roi épouse une fille d'honorable homme, marchand, tailleur d'habits ; le chapelier du roi, une fille d'honorable homme, marchand, apothicaire ; le tailleur du roi, une fille d'honorable homme, marchand de vin ; le juré, une fille d'honorable homme, marchand, bourgeois de Paris ; le chirurgien du roi, fils d'honorable homme, bourgeois de Paris, la fille d'un honorable marchand, marchand-drapier ; l'écuyer de cuisine, fils de marchand, la fille d'un honorable marchand mercier.

Les privilégiés suivant la Cour nous donnent 7 mariages. Deux couples seulement peuvent se rattacher à cette strate : un marchand privilégié suivant la Cour, fils d'honorable homme, sieur de, qui prend la fille d'un honorable homme, marchand de saline, bourgeois de Paris ; un second marchand privilégié suivant la Cour, fils de vigneron, une fille de maître (avant-nom), procureur. Les 5 autres mariages unissent de simples artisans.

Les marchands, bourgeois de Paris, nous procurent 9 mariages. Quatre époux sont marchands. Les autres sont : un, marchand de vin ; deux, merciers joailliers ; un, orfèvre. Ce sont des fils d'honorable homme, marchand, de marchand, bourgeois de Paris, de marchand, de bourgeois de Paris. L'orfèvre, seul, fils de marchand orfèvre, a repris le métier de son père, avec une nuance de supériorité sociale. Nos gens épousent, le marchand de vin, la fille d'un officier de bouche de la reine-mère ; un joaillier, une fille de marchand mercier, l'autre, une fille de chirurgien ; l'orfèvre, une fille de marchand orfèvre, le reste, tous des filles d'honorable homme, marchand, bourgeois de Paris ou de marchand, bourgeois de Paris.

Il faut certainement rattacher à cette strate des époux qui, au moment de leur mariage, prennent seulement la qualité de marchand suivie d'un nom de métier, mais dont les pères sont honorable homme, bourgeois de Paris, bourgeois de Paris, honorable homme marchand, marchand, bourgeois de Paris. En effet, ces simples marchand, fripier, pelletier, etc., sont destinés à devenir honorable homme, comme leur père. Par exemple, un marchand fripier, fils d'honorable homme marchand fripier, épouse la fille d'un honorable homme, marchand, bourgeois de Paris. Un marchand de fer, fils d'un honorable homme, bourgeois de Paris, mégissier, se marie avec la fille d'un honorable homme, bourgeois de Paris, marchand ; un marchand teinturier en soie, fils d'un marchand, bourgeois de Paris, avec la fille d'un honorable homme sommier de la chapelle du roi ; un marchand, fils d'honorable homme, marchand, bourgeois de Paris, la fille d'un notaire au Châtelet ; un marchand mercier, fils d'un bourgeois de Paris ; un marchand bonnetier, la fille d'un honorable homme, bourgeois de Paris, sergent à verge au Châtelet. Il y a dix cas semblables.

Il faudrait sans doute inclure dans cette strate ces maîtres (avant-nom), secrétaire de la chambre du roi, dont l'un fils de marchand, épouse la fille d'un honorable homme, chef de fruiterie de la reine, l'autre, la fille d'un honorable homme, maître chirurgien, le troisième, fils de capitaine, la fille d'un boulanger de la vénerie du roi, le dernier, fils de marchand, bien qu'il se contente de la fille d'un maître orfèvre.

En somme, ces 61 mariages paraissent définir un milieu homogène de familles marchandes, dont les fonds sont placés dans des entreprises qu'elles dirigent, et qui sont consacrées à un commerce de gros, à la banque, où à des fabrications délicates et chères.

VI. — Les 95 mariages des marchands présentent un groupe très composite. Nous avons rattaché 10 couples à la cinquième strate, celle des honorable homme. Il y en a une dizaine d'autres qui, sans doute, ont pris la qualité de marchand pour se faire glorieux, parce qu'ils n'avaient pas réussi à obtenir la maîtrise dans leur métier, ce qui est suggéré par la bassesse de leurs alliances et par la minceur de leurs ressources. Une dizaine encore sont à rattacher à un « état » tout à fait inférieur d'ouvriers, de servantes et de paysans. Mais 65 d'entre eux peuvent être classés dans la sixième strate, comme maîtres de métier supérieurs, intermédiaires entre les honorable homme et les maîtres de métier ordinaires. Un bon nombre ne donnent aucune indication sur leur père, ce qui laisse à supposer qu'ils essayaient de s'élever socialement et que leur père leur semblait trop humble.

Parmi ces marchand, un apothicaire épouse la fille d'un maître tissutier rubanier. Deux orfèvres, respectivement fils de marchand et fils de mercier-joaillier épousent, le premier la fille d'un maître, honorable homme, orfèvre, le second, la fille d'un valet de chambre du Prince de Condé. Trois marchands merciers prennent l'un une maîtresse lingère toilière, les deux autres les filles d'un maître pelletier et d'un marchand fripier. Deux marchands épiciers, respectivement fils de maître paveur et de maître maréchal, prennent l'un une fille de maître tailleur d'habits, l'autre une fille de marchand drapier. Trois marchands pelletiers, dont l'un fils de marchand mercier et un autre fils d'un maître (avant-nom), receveur du domaine de Pontoise, épousent les filles de verdurier de la reine, de marchands de vin, de marchand pelletier. Mais un marchand drapier, d'origine inconnue, épouse la fille d'un honorable homme, bourgeois de Paris, marchand fripier ; un marchand de soie, dont le père est caché d'un voile pudique, la fille d'un honorable homme, bourgeois de Paris, marchand. Un marchand libraire, fils de marchand libraire, prend la fille d'un marchand boucher et un marchand laboureur reçoit la fille d'un marchand libraire.

Sur neuf marchands de vin, cinq sont des fils de marchands, de marchand de vin, de drapier, de maître (avant-nom) procureur présidial. Quatre sont d'origine inconnue. Ceux dont le père est déclaré épousent des filles de bourgeois de Paris, d'honorable homme, marchand, bourgeois de Paris, de marchand mercier ou de marchand de vin. Ceux dont le père est caché épousent des filles de marchand et de marchand fripier, mais l'un d'eux obtient la fille d'un honorable homme, marchand, bourgeois de Paris, épicier.

Sur onze marchands fripiers, cinq sont des fils de marchands fripiers, un est fils d'un contrôleur de l'artillerie, un fils d'un officier de M. de Guise, deux des fils de maître (avant-nom), l'un notaire royal, l'autre greffier ; un est fils de tailleur d'habits, un sans origine déclarée. Les fils de marchands fripiers épousent des filles de juré porteur de grains, c'est-à-dire d'officier domanial, organisant le travail de portefaix, de maître charpentier, de maître tailleur d'habits, d'honorable homme marchand de saline, d'honorable homme fripier. Le fils du greffier épouse la fille d'un maître patissier ; ceux du notaire, du contrôleur, du tailleur, des filles d'honorable homme, marchand fripier ; le fils de l'officier de M. de Guise, une fille de marchand, le fils de ses œuvres, une fille de maître tailleur d'habits.

Sont analogues les alliances de marchand tapissier, serrurier, maçon, potier d'étain, verrier, chaussetier, tailleur d'habits, qui épousent des filles de marchands tapissier, serrurier, fripier, verrier, tissutier-rubanier, et de marchands de vin. Dans deux cas, les pères d'épouse sont honorable homme.

VII. — Ceux qui prennent la qualité de « maître » suivie d'un nom de métier exercent un métier manuel et ont obtenu la maîtrise après un apprentissage et l'exécution d'un chef-d'œuvre.

La strate des maîtres de métier est représentée par 146 mariages, 25 pour l'alimentation (rotisseurs, charcutiers, pâtissiers, cuisiniers, vinaigriers), 45 pour les métiers des cuirs et peaux (tanneurs, corroyeurs, savetiers, cordonniers, bourreliers, selliers-lormiers, gaîniers, ceinturiers), 17 pour le vêtement (tailleur, pourpointiers, boutonniers-passementiers, chapeliers) ; 10 pour les métiers du bois (menuisiers, layettiers) ; 16 pour l'outillage et les armes (armurier, fourbisseur, arquebusier, serrurier, taillandier, épinglier, coutelier) ; 12 pour les métiers du verre (verrier, vitrier, miroitier) ; 10 pour les métiers du textile (tisserands, tissutiers, tondeurs de draps, rubaniers, teinturiers) ; 8 pour les récipients (potiers de terre, potiers d'étain, potiers de verre, chaudronniers) ; 9 pour les métiers de décoration ou d'agrément (doreurs sur fer, sur cuivre, sur cuir, damasquinier, patenôtrier, faiseurs d'instruments, maîtres-paulmier).

Cinquante-neuf d'entre eux épousent des filles de maîtres de métier (40 %) ; 7 des filles de laboureurs à grosses dots, à mon avis équivalents aux maîtres de métier ; 31 des filles de gens de métier sans qualité, 5 des servantes, 5 des filles de serviteurs (31 %), 16 des filles de marchand, qui peuvent être soit des gens qui s'élèvent au-dessus du niveau des maîtres, soit au contraire des gens qui n'ont pas réussi à obtenir la maîtrise (20 %) ; 8 épousent des filles de bourgeois de Paris, mais qui ne leur apportent pas de bien grosses dots, et certains bourgeois de Paris étaient des rentiers fort modestes (6 %) ; 10 des filles d'honorable homme, marchand, bourgeois de Paris ou de marchand, bourgeois de Paris, et dans ce cas il peut s'agir d'alliances ascendantes qui ouvrent des possibilités à nos maîtres de métier (6,5 %). Enfin, nous trouvons des alliances diverses : avec des filles de militaires : soldat d'un régiment, sergent d'une compagnie archer des gardes du roi ; avec des officiers de la maison du roi ;

fruitier fauconnier ; avec des officiers domaniaux (juré crieur), seigneuriaux (procureur fiscal), royaux (sergent, lieutenant de la justice de). Même un maître faiseur d'instruments épouse la fille d'un écuyer sieur de, ce qui se passe d'explication.

Nos groupes de mariages semblent bien introduire dans cette strate des « états ».

1. Laissant de côté les alliances avec la fille d'un écuyer sieur de ou celle avec la fille d'un petit magistrat lieutenant d'une justice royale de province, qui sont des accidents, nous trouvons d'abord l' « état » de ceux qui ont épousé des filles d'honorable homme, marchand, de marchand, bourgeois de Paris, de marchand privilégié suivant la Cour, neuf mariages, 11 % de nos maîtres de métier. Dans l'alimentation, il s'agit d'un rotisseur, fils de maître charcutier (dot 600 livres). Dans les cuirs et peaux, un maître corroyeur, honorable homme, bourgeois de Paris. Dans le textile, un maître teinturier, fils de maître teinturier, prend la fille d'un honorable homme, maître couvreur. Dans le verre, un maître miroitier, fils de maître miroitier, obtient la fille d'un honorable homme, maître chandelier. Dans le vêtement, un maître tailleur, fils de marchand de vin, épouse la fille d'un honorable homme, marchand bourgeois de Paris ; un maître tailleur, fils de maître tailleur, la fille d'un honorable homme, bourgeois de Paris, marchand de vin ; un autre maître tailleur, de père inconnu, épouse la fille d'un honorable homme. Dans les métiers du bois, un maître menuisier, fils de manœuvrier, obtient la fille d'un honorable homme, marchand, bourgeois de Paris, etc. Il est remarquable que la plupart des maîtres qui contractent ces alliances ascendantes soient eux-même des fils de maîtres, parfois de marchands et souvent de fils de maître du même métier, caractérisés par une hérédité honorable dans la profession.

Quelques-uns de nos maîtres de métier sont alliés à des marchands. Un maître chandelier, fils de maître charron, épouse la fille d'un marchand de vin ; un autre fils d'un juré porteur de foins, la fille d'un marchand drapier ; un troisième, fils de maître cordonnier, la fille d'un juré crieur. Un maître bourrelier, fils de bourrelier, sans qualité, épouse la fille d'un marchand ; un maître cordonnier, fils de pâtissier, la fille d'un marchand fripier ; un maître savetier, fils de savetier, la fille d'un marchand. Un maître tailleur, fils de maître tailleur, épouse la fille d'un marchand drapier. Un maître menuisier, fils de marchand, épouse une fille de marchand. Un maître armurier, prend une fille de marchand. Un maître verrier, fils de marchand verrier, épouse la fille d'un marchand verrier (dot 150 livres). Un maître teinturier, fils de marchand, prend la fille d'un marchand hôtelier (dot 1 500 livres). Deux maîtres tisserands, fils de sans qualité, épousent des filles de marchand. Un maître potier de terre, fils de tonnelier, trouve la fille d'un marchand boucher. Un maître patenostrier, fils de maître patenostrier, reçoit la fille d'un marchand boulanger (dot 700 livres). Un maître damasquinier, fils de maître damasquinier, la fille d'un marchand pourpointier ; un maître doreur, sur cuir, fils de laboureur, la fille d'un marchand bourrelier. Sur seize cas d'alliances avec des filles de marchands, onze sont le fait de fils de maîtres, d'officiers domaniaux et de marchands et six époux sont fils de maître de même métier. Mais tous ces cas ne sont pas identiques. Quand nous avons affaire à un marchand qui fait suivre sa qualité du nom de sa profession, marchand verrier, marchand boucher, il s'agit probablement de quelqu'un qui se détache au-dessus des maîtres de métier ordinaires et qui est un entrepreneur. Quand un homme se dit tout simplement marchand, il peut s'agir d'un petit revendeur ou d'un travailleur manuel qui n'a pu obtenir la maîtrise.

La même ambiguïté se retrouve pour les bourgeois de Paris. Un bourgeois de Paris peut être un financier, un rentier riche, mais aussi un tout petit rentier, un petit boutiquier retiré. Un maître boulanger, fils de laboureur, s'allie à la fille d'un bourgeois de Paris. La dot de 2 000 livres, grosse à ce niveau social, nous rassure. Un maître corroyeur, fils de maître corroyeur, un maître cordonnier, fils de maître cordonnier, un maître lormier-carrossier, fils de maître sellier-lormier-carrossier, prennent des filles de bourgeois de Paris. Un maître chaudronnier, un maître potier d'étain, qui ne nous disent rien de leur père, épousent aussi des filles de bourgeois de Paris, avec des dots de 400 livres et de 800 livres. Un maître paulmier, fils de paulmier, bourgeois de Paris, trouve la fille d'un bourgeois de Paris (dot 800 livres). Un autre maître paulmier, mais qui passe son père sous silence, une fille de bourgeois de Paris à 950 livres. Sur huit cas d'union avec des filles de bourgeois de Paris, cinq sont le fait de fils de maître ou de bourgeois de Paris.-

2. L'état moyen de nos maîtres de métier, serait défini par soixante-six mariages, les cinquante-neuf maîtres qui épousent des filles de maîtres de métier et les sept qui prennent des filles de laboureurs. Sur ce nombre, il est remarquable que quarante-quatre maîtres de métier qui prennent des filles de maîtres de métier, sont fils de maîtres du même métier, six des fils de maîtres d'un autre métier, treize des fils d'ouvriers sans qualité ou de compagnon. Mais les fils de maître du même métier n'épousent des filles de maître du même métier que dans douze cas. Les dots vont de 60 livres dans le cas d'un maître menuisier, fils d'un maître menuisier, qui épouse la fille d'un maître menuisier, à 3 300 livres dans le cas d'un maître pâtissier, fils de maître pâtissier, qui épouse la fille d'un maître charpentier. Il y a donc tendance à la constitution d'un « état » de maîtres, fils de maîtres, et souvent fils de maîtres du même métier, mariés à des filles de maîtres, un « état » de maîtres qui reste cependant ouvert à un nombre réduit de maîtres de moindre origine. Tous ces maîtres se trouvent dans toutes les catégories de métiers.

3. Le dernier « état » serait constitué par les quarante et un maîtres qui épousent des filles d'ouvriers sans qualité (31), des servantes (5), des filles de serviteurs (5). Vingt-huit sont eux-mêmes des fils de sans qualité, treize des fils de maîtres de métier qui se mésallient. Les dots sont parfois élevées : une servante apporte

2 000 livres à un maître rôtisseur, fils de maître rôtisseur. Mais, en moyenne, les dots sont inférieures dans cet « état » à celles de l'« état » précédent. Les maîtres sont ici aussi répartis dans toutes les catégories de métiers.

VIII. — Viendraient ensuite ceux qui prennent la qualité de « compagnon ». Cent trois époux prennent cette qualité à leur mariage, beaucoup moins que des maîtres. Mais étant donné que trois maîtres seulement s'avouent fils de compagnon, étant donné le nombre de maîtres qui se déclarent fils d'ouvriers sans qualité ou qui ne disent absolument rien de leur père, étant donné que ces ouvriers sans qualité étaient peut-être le plus souvent des compagnons, il est à croire que la qualité de compagnon semblait péjorative et que peu de gens tenaient à l'afficher.

Nos « compagnon » se rencontrent dans toutes les catégories de métiers. Deux, un cordonnier, un maréchal, respectivement fils de maître maçon et de charron sans qualité, épousent des filles d'honorable homme, cordonnier et maréchal, ce qui signifie qu'ils deviennent gendre de leur maître et que le notaire a mis une distinction entre le gendre et le beau-père, pas du tout qu'ils s'allient dans le monde des « honorable homme, marchand ». Un maçon, dont nous ignorons tout, obtient la fille d'un bourgeois. Un jardinier, fils d'un substitut notaire royal rural, la fille d'un juré langueyeur de porcs, très petit officier domanial.

1. Mais un cordonnier, fils de maître boulanger, s'allie à un honorable homme, bourgeois de Paris, cordonnier ; un rôtisseur, fils de maître rôtisseur, à un rôtisseur privilégié suivant la Cour ; un chaudronnier, fils de maître bourrelier, la fille d'un honorable homme maître chaudronnier (700 livres). Donc, les compagnons, fils de maîtres, et destinés à la maîtrise, s'allient dans un monde de maîtres supérieurs qui confine aux marchands.

2. Douze compagnons s'allient par le mariage à des marchands, orfèvre, fripier, patenostrier, laboureur, bourrelier, boucher, marchand de vin, ou marchand de chevaux. Ce sont des fils de laboureurs, de marchands patenostrier, d'un exempt des gardes du Comte de Soissons, d'un archer des gardes écossaises, mais aussi de compagnon maçon et dans quatre cas de cordonnier sans qualité ou de gens dont on ne dit rien.

3. Vingt-neuf compagnons épousent des filles de maîtres paulmier, armurier, corroyeur, savetier (2), vitrier, cordonnier, doreur, orfèvre, serrurier, aiguilletiers, patenostrier, tissutiers (2), rubaniers, tailleurs, charbon, menuisier. Dans douze cas le compagnon exerce le même métier que son beau-père (deux tailleurs, quatre tissutiers-rubaniers, un aiguilletier, un orfèvre, un doreur, trois savetiers). Dans quatre de ces cas, le père du compagnon est marchand tissutier, marchand de toile, laboureur (2). Dans les huit autres, le père du

compagnon est lui-même compagnon, ou sans qualité. Le père du compagnon orfèvre est lui-même orfèvre sans qualité. Pour les dix-sept autres compagnons, les pères des savetiers et corroyeurs sont des laboureurs ou des gagne-deniers, et ceux des autres, le plus souvent, des compagnons et des gagne-deniers sans qualité. Ceci suggère que les compagnons venaient souvent de la campagne et peut expliquer la défaveur de cette qualité chez les Parisiens qui avaient échoué à conquérir la maîtrise.

4. Trente-huit compagnons épousent des filles de « sans qualité » et des servantes (6). Les beaux-pères sont des charpentiers ceinturiers, tailleurs, pâtissiers, vitriers, chaudronniers, cordonniers, passementiers, des vignerons, des laboureurs (4), des gagne-deniers, des serviteurs, un sergent royal, un verdier garde-bois, un commis au grenier à sel. Les compagnons sont eux-mêmes des boulangers, pâtissiers, rôtisseurs, des cordonniers, savetiers, menuisiers, tourneurs, tapissiers, aiguilletiers, passementiers, tailleurs, tonneliers, selliers-lormiers. Trois de leurs pères se disent marchand boulanger, marchand bonnetier, marchand mercier ; six sont des laboureurs ; deux des vignerons ; cinq des maîtres de métier, tourneur, tanneur, bonnetier, tailleurs, tavernier ; deux des compagnons maçon, charpentier ; deux, des manœuvriers ; le reste, des sans qualité, tisserands, potier d'étain, tissutier, tailleur.

IX. — Viennent enfin deux cent soixante-dix-neuf époux « sans qualité ». Ce sont des gens de métier ou de service.

1. Les gens de service, maîtres d'hôtel, valets de chambre, valets de pied, concierges, secrétaire, écuyers de cuisine, sommeliers, cuisiniers, serviteurs, cochers, postillons, sont au nombre de quarante-cinq.

Trois « états » se distinguent parmi eux :

a) Le premier est celui des maîtres d'hôtel. Ce sont des fils de marchand, de bourgeois de Paris, de sergent royal. Ils épousent des filles de noble homme, maître, avocat au Parlement, de lieutenant pour le roi, de bourgeois de Paris, de sergent des tailles. Ils sont à rattacher à la strate des marchands.

b) Le deuxième « état » est représenté par un cuisinier, fils de tailleur d'habits sans qualité, qui épouse la fille d'un maître serrurier ; par un secrétaire, de père inconnu, qui épouse la fille d'un maître sellier-lormier, par un cocher, fils de laboureur à Avrainville qui épouse une fille de vigneron, par un cuisinier, fils de laboureur à Montmorency, qui prend celle d'un juré porteur de grains, par un serviteur de marchand de grains, fils de tonnelier, celle d'un tailleur d'habits sans qualité. Ils sont à rattacher aux maîtres de métier.

c) Le troisième « état » est celui de fils de sans qualité : valets de chambre, fils de fermiers, de cordonniers, de gagne-deniers, cochers, souvent fils de fermiers, de laboureurs, de cardeurs de laine, qui épousent des filles de cordonniers, tailleurs, maçons, voiturier par terre, tous sans qualité, de vigneron. Les écuyers de cuisine, les domestiques, fils de laboureurs, ou de maréchal de forge, de charpentier, sans qualité, épousent des femmes de charge, des servantes, des filles de vigneron, de cordonnier sans qualité, le postillon, fils de charretier, une fille de palefrenier. Ce troisième « état » est au niveau des gens de métier sans qualité.

2. Les gens de métier sans qualité sont au nombre de deux cent trente-quatre.

a) Nous trouvons trente-quatre tailleurs d'habits, fils de laboureurs (5), de vigneron (2), de maitres tailleurs d'habits (2), de tailleurs sans qualité (3), de marchand fripier, de lieutenant au bailliage de Picardie, de maître (avant-nom) notaire royal (2), de procureur d'office, de maître-apothicaire, de serviteur, de maître taillandier, de charron et de cordonnier sans qualité, des gagne-deniers et portefaix. Parmi eux un fils de notaire et tabellion près Reims épouse la fille d'un honorable homme, cordonnier ; un fils de laboureur, une fille de bourgeois de Paris, deux fils de leurs œuvres, une fille de marchand de vin et une fille de marchand. Mais les autres épousent des filles de laboureur (3), de vigneron (2), de jardinier (2), de pêcheur, de tailleur sans qualité (7), de tonnelier (2), de serrurier (2), de boulanger, de tissutier-rubanier, de gagne-deniers (2), de manouvrier, tous sans qualité.

b) Quinze mariages de cordonniers et de savetiers nous concernent, huit de cordonniers, sept de savetiers. Les cordonniers, fils de marchands de chevaux, de marchand laboureur, de laboureurs, de tavernier, de praticien et d'un maître gantier-parfumeur, épousent des filles de manouvrier, de laboureurs (3), de jardinier, de cordonnier, d'un maître tailleur d'habits, et le fils du gantier-parfumeur, la fille d'un écrivain. Les savetiers fils de savetier (2), de drapier, de charron, de tailleur de pierres, tous sans qualité, et de vigneron, de jardinier, trouvent des filles de savetier (2), de tailleur de pierres, de tailleur d'habit sans qualité, de vigneron (2) et deux servantes.

c) Douze travailleurs de l'alimentation ,boulanger (5), pâtissier, boucher (3), étalier boucher, cuisinier, fruitier, sont fils de laboureurs (2), vigneron, marchand de bois, marchand poulailler, soldat, boulanger, chandelier, sans qualité, compagnon boucher (l'étalier boucher). Un pâtissier, fils de maître (avant-nom) notaire, trouve la fille d'un maître pâtissier. Les autres épousent des filles de maçon (2), de tailleurs de pierre, de tanneur, de tisserand en toile, de tonnelier, de boulanger, de cocher, tous sans qualité, de vigneron ; deux, les filles d'un maître charcutier et d'un marchand de toile.

d) Vingt et un maçons (9), carriers (3), tailleurs de pierre (5), batteurs de plâtre (2), couvreur, terrassier, sont fils de maître maçon, maçon sans qualité, tailleur de pierre (3), charpentier sans qualité, cocher, marchand fruitier, gagne-deniers, laboureur (3), vigneron. Ils prennent pour femme une fille de voiturier par terre, bourgeois de Paris, une fille de voiturier par terre, sans qualité ; des filles de maître maçon, maitre tailleur de pierres, des filles de maçon sans qualité (3), de tailleur de pierres, de batteur de plâtre, de carrier, de cocher, de savetier, de marchand fruitier, de gagne-deniers, de laboureur, de manouvrier, de jardinier (2), et trois servantes.

e) Les menuisiers, tourneurs, tapissiers, tonneliers, charpentiers, fils de maître d'école, de tourneurs, de menuisiers, sans qualité, de laboureur, de manouvrier, reçoivent des filles de maître maçons (les deux charpentiers), de menuisiers, passementiers, sans qualité, de gagne-deniers, de laboureurs, d'un verdier garde-bois, et des servantes.

f) Les gagne-deniers peuvent être des officiers domaniaux, mesureurs de bois ou de charbon, petits entrepreneurs. Mais ceux que nous trouvons ici sont de simples portefaix. Sur vingt--neuf gagne-deniers et quatre manouvriers, vingt-cinq restent discrets sur leur père. Huit sont fils d'un compagnon rôtisseur, d'un laboureur, de trois gagne-deniers, de deux cordonniers sans qualité. Ils prennent des filles de compagnon paulmier, de savetier, de tisserands en toile, de tailleur d'habits, de boulanger, de charpentier, de menuisier, de vivandier, tous sans qualité, de soldats, de caporaux, de manœuvres et de manouvrier, de gagne-deniers (7), de laboureur (2), de vigneron, de jardinier, de bûcheron, et une servante.

g) Les voituriers par terre, tous fils de laboureurs, épousent des filles de voituriers par terre et de laboureurs, dans un cas, une fille de maître tondeur de draps.

h) Viennent ensuite les laboureurs (6), les vignerons (7), les jardiniers (6), de la lisière intérieure de Paris, les laboureurs, fils de laboureurs, épousent des filles de laboureurs (2), de marchand laboureur, de marchand de chevaux, de « marchand », et d'un mercier-tissutier-rubanier sans qualité. Les vignerons, fils de vigneron (2), de laboureurs (2), d'un procureur fiscal, prennent pour femme des filles de laboureur, de jardinier, de vigneron, de pêcheurs (2), de serviteur. Les jardiniers, fils de maître jardinier (2), de marchand fruitier, de « marchand », de laboureur, de maçon, obtiennent des filles de maître jardinier (2), de jardinier (2) et des servantes.

i) Une poussière d'aiguilletiers, tissutiers, rubaniers, tisserandiers, tanneurs, présentent des caractères analogues.

j) Deux archers du guet de père inconnu, épousent l'un une fille d'archer du guet, l'autre une fille de bourgeois de Nancy.

Donc, les travailleurs manuels sans qualité sont le plus souvent des fils de travailleurs manuels sans qualité ou des fils de jardiniers, de vignerons, de laboureurs. Beaucoup sont des gens qui arrivent tout fraîchement de la banlieue ou de la province. Ils épousent des filles de jardiniers, de vignerons, de laboureurs ou de travailleurs manuels sans qualité. Les meilleurs ou plus favorisés par la chance trouvent des épouses chez les maîtres de métier avec une perspective d'ascension sociale.

3. Il faudrait sans doute rattacher à cette strate des sans qualité des gens qui prennent celles de marchand mais qui ne sont en fait, que de fort petits revendeurs et que leurs alliances mettent au niveau des sans qualité. Tels sont cinq marchands de vin sur seize trouvés

chez nos notaires des Halles, qui sont fils de vigneron, de laboureurs et de cabaretiers, et qui épousent une fille de vigneron, des servantes, une fille de sergent présidial, sans dot, et, un la fille d'un maître tailleur qui ne peut donner qu'une dot de 100 livres. Tels encore quatre marchands fripiers sur dix-neuf, également fils de vignerons et de laboureurs, qui prennent pour femme des servantes et des filles de laboureurs. Tels enfin ces marchands fruitiers, boucher, fromager, qui épousent des filles de compagnon rôtisseur, de maître savetier, de fromager, ou même la fille d'un homme sans qualité et sans profession. Ce sont d'infimes détaillants et souvent des gens de la campagne venus tenter leur chance à Paris.

CONCLUSION

L'étude de notre échantillon de mariages, nous semble bien donner une esquisse de la hiérarchie sociale à Paris, en 1634, 1635, 1636. Pour faire de cette coupe verticale à travers les strates sociales, une étude sociale complète, il nous faut maintenant rapprocher de chaque strate et sous-strate, la fortune et les revenus, selon leur niveau et selon leur nature, à l'entrée en mariage et au décès, en utilisant aussi les inventaires après décès. Il faut examiner ce que ces inventaires nous révèlent sur le style de vie, la culture et la mentalité à chaque niveau social. Il faut montrer quelques exemples typiques d'individus et de familles à chaque niveau au moyen de biographies et de généalogies, exécutées en suivant un questionnaire social, une très large prosopographie. L'on aura alors sans doute le moyen de discerner si ces strates et sous-strates sont, comme il le semble bien, des ordres et des « états », ou bien des classes sociales. C'est ce que nous allons tenter dans les chapitres suivants.

CHAPITRE III

L'ENVIRONNEMENT SOCIAL

L'environnement social peut être déterminé au moyen des témoins du mariage qui dans nos contrats figurent avec noms, qualités, profession, degrés de parenté avec les conjoints ou la mention « ami ». Il s'agit de l'environnement social et non de la strate sociale. Celle-ci ne peut être révélée avec une approximation suffisante que par le mariage lui-même, l'union matrimoniale de deux couples qualité-profession. En effet, des gens de même parenté, pères, mères, oncles, tantes, cousins, neveux, peuvent appartenir à des strates sociales différentes. Parmi les témoins peuvent figurer des protecteurs, d'un rang social beaucoup plus élevé, ce qui est évident lorsque le roi signe à un mariage, ou inversement des fournisseurs, des employés, d'un niveau social bien moindre mais que les familles des époux veulent honorer en raison de leurs longs et loyaux services. Les témoins ne peuvent donc pas servir à déterminer la strate sociale, mais ils peuvent être utilisés pour définir une sorte de groupe social de relations diverses, parentés, alliances, fidélités, collégialités, protections et services.

Selon l'ordonnance de Blois de 1579, reprenant sur ce point les dispositions du Concile de Trente, la présence à la célébrations religieuse du mariage de quatre témoins dignes de foi, qui attestent la vérité du mariage et certifient la qualité de ceux dont le mariage est célébré, est obligatoire. Cette obligation fut rappelée par l'édit de mars 1697, portant règlement pour les formalités du mariage.

Mais cette règle ne vaut que pour la célébration religieuse, c'est-à-dire pour la comparution devant le prêtre des fiancés qui se sont engagés d'un à l'autre par les « paroles de futur », et qui se donnent le sacrement de mariage par les « paroles de présent », puis reçoivent la bénédiction du prêtre témoin. Elle ne vaut pas pour le contrat, qui est un accord civil. Celui-ci spécifie toujours que le mariage aura lieu le plus tôt que faire se pourra devant « notre sainte Mère l'Eglise », mais il reste un acte purement civil, qui contient essentiellement les dispositions prises concernant les biens des futurs époux en vue du mariage.

Aussi, en fait, les témoins sont plus ou moins de quatre dans la plupart des cas. Mais, sauf exceptions, ce sont des laïques. Les contrats de mariage ne nous donnent le plus souvent que l'environnement social laïque et les rapports du premier ordre politique et juridique du royaume, le clergé, avec les mariés nous y échappe généralement.

I. — Dans la strate supérieure des baron, des messires, chevalier, seigneur, de, strate de la haute noblesse et de la gentilhommerie, nous trouvons 133 témoins pour 12 mariages, en moyenne 11 témoins. Le nombre le plus élevé est de 28 témoins, au mariage de messire Louis Frère, conseiller du roi en ses Conseils d'Etat et privé, maître des requêtes ordinaires de son Hôtel, seigneur de Monfort et de Grolles, avec Charlotte Phelipeaux, fille de messire Paul Phelipeaux, chevalier, seigneur de Ponchartrain, conseiller du roi en ses Conseils d'Etat et privé, secrétaire des Commandements de Sa Majesté (3e niveau de la strate). Par contre, il y a un seul témoin au mariage de messire Anthoine de Joigny, chevalier, mestre de camp d'un régiment entretenu pour le service du roi, qui épouse Elisabeth Bourdin, veuve de feu messire Edouard Le Coigneux, sieur de Bois-Guillaume et de Bezonville, conseiller du roi en son Parlement (2e niveau), peut-être parce qu'il s'agit d'une alliance inégale, d'un cas d'hypergamie des femmes, et surtout d'un mariage avec une veuve, ce qui, dans bien des villages, aurait provoqué un charivari.

74 sur 133 des témoins sont eux-mêmes des messire, soit 57 % de l'ensemble des témoins, 26 messire, chevalier, haut et puissant seigneur, etc., et 50 messire, chevalier. La plus basse qualité représentée est celle de maître (avant-nom), (4e strate), par 8 témoins, soit 6 % de l'ensemble. Il n'y a ni marchand, ni maître de métier, pas même d'honorable homme (5e strate). Un seul orfèvre est présent mais il est aussi valet de chambre du roi et noble homme. Tout ce qui est gain « vil et sordide » est exclu des témoins.

Le Roi, la Reine, le Cardinal de Richelieu, principal ministre d'Etat, signent au mariage de messire Philippe d'Anthonys, chevalier, seigneur de Rocquemont, maréchal de France, grand louvetier de France, qui épouse la fille de noble homme Nicolas Roger, premier valet de garde-robe de Sa Majesté (IIIe strate, 6e niveau).

Haute et puissante dame Laurence de Clermont, veuve de feu haut et puissant seigneur messire Anne de Montmorency, connétable de France, haut et puissant seigneur, messire Pierre Séguier, chevalier, chancelier de France et de Navarre, signent au mariage de messire Louis Frère, maître des requêtes, cité plus haut (3e niveau).

Au mariage de messire Jean du Tillet, chevalier, sieur de Nogent, conseiller au Parlement, avec Claire Le Picart, fille de messire Jean Le Picart, seigneur du Plessis et de Périgny, conseiller du roi en ses Conseils (3e niveau), ont signé le premier président au Parlement de Paris, le premier président au Parlement de Rouen, Charles de Faucon de Ris, le procureur général au Parlement de Paris, Matthieu Molé, le greffier en chef au Parlement de Paris, messire Jean du Tillet, baron de la Bussière, oncle de l'époux, un conseiller au Parlement de Paris, un conseiller à la Cour des Aides.

Les témoins les plus importants suivent donc le statut social des mariés et appartiennent au même niveau, roi et reine mis à part, et encore le roi est le premier gentilhomme du royaume.

8 témoins (6 %) exercent des charges militaires : maréchal de France, 3 lieutenants généraux, le colonel général des gardes suisses,

le capitaine-lieutenant de la compagnie des gendarmes du roi, un capitaine gouverneur de, un guide de la compagnie de.

7 témoins (5 %) exercent des offices de Cour : un premier gentilhomme de Sa Majesté (Suivre), un premier écuyer de Sa Majesté (Saint-Simon) (1er niveau) ; un messire gentilhomme ordinaire de Sa Majesté (2e niveau) ; un premier valet de chambre du roi, noble homme, un maître secrétaire de la chambre du roi, un maître de la garde-robe, 8 secrétaires des commandements (IIIe strate).

44 témoins (32 %) sont des magistrats (1re strate, 3e niveau) : 11 maîtres des requêtes, 16 magistrats du Parlement, dont le premier président, 3 présidents et le procureur général ; 7 de la Chambre des Comptes, dont le premier président, un Nicolaï ; 3 de la Cour des Aides, dont le premier président, 3 du Grand Conseil, dont 2 présidents et le procureur général ; un trésorier de France ; 3 conseillers du Châtelet.

Ajoutons-y un secrétaire d'Etat, un surintendant des Finances, deux intendants des Finances.

Les « écuyer » (IIe strate) ne sont que 7 (5 %), et encore du côté des épouses, c'est-à-dire probablement, des nobles de fonction, de fraîche date.

Les « noble homme », officiers en voie d'anoblissement, sont 27 (20 %).

Les maitre (avant-nom), 8 avocats et procureur sont en tout 9 (7 %). Ils apparaissent comme oncles et cousins de magistrats ou de secrétaire du roi dans 4 mariages : celui d'un conseiller au Parlement avec une fille de messire chevalier, sans profession ; celui d'un messire, chevalier, sans profession, avec la fille d'un procureur du roi au Grand Conseil ; celui d'un gentilhomme ordinaire du roi qui prend la fille d'un conseiller notaire et secrétaire du roi, maison et couronne de France ; et celui d'un haut et puissant seigneur, messire, chevalier, qui fait autant d'une fille de noble homme, conseiller, secrétaire du roi. Les maîtres (avant-nom) sont donc là comme résidu de la mobilité sociale ascendante des familles d'officiers. Pratiquement, l'environnement social des messire (1re strate) ne descend pas au-dessous des noble homme (IIIe strate). Encore ceux-ci sont-ils du côté des épouses (frères, oncles, cousines), comme conséquence de l'hypergamie des femmes, dans 23 cas contre 4 (85 %).

Figurent en outre parmi les témoins : un contrôleur des décimes, un contrôleur général du Domaine, un élu; un maître des courriers, un maître des relais, un trésorier des fortifications, que je n'ai pu classer.

II. — La seconde strate, celle en décroissant des « écuyers, sieur de », des simples « écuyers », nobles de fonction, nous offre 120 témoins pour 15 mariages, soit une moyenne de 8 témoins par mariage. Un écuyer, sieur de, épouse la fille d'un marchand, bourgeois de Paris : à eux deux ils réunissent 26 témoins. Un écuyer, sieur de, et la fille d'un bourgeois de Paris n'ont qu'un témoin.

Parmi les témoins, les membres de la même strate, écuyers, sieur de, écuyer, sieur de, sont 27, 22 %. Les membres de la Ire strate, les haut et puissant, les messire, les monsieur, maître, sont 22, 20 %. Les noble homme de la IIIe strate, 26, 22 %. Les maître (avant-nom) de la IVe strate, 21 %. Mais apparaissent les honorable homme, marchands, bourgeois de Paris de la Ve strate, qui sont 12, 10 %, et même deux maîtres de métier, 1,8 %.

Les maîtres de métier sont : un chapelier qui figure comme cousin au mariage d'un écuyer, sieur de, avec la fille d'un noble homme, lieutenant de la prévôté générale de cavalerie ; un tanneur qui assiste au mariage d'un écuyer, sieur de, avec la fille d'un verdier des forêts de la vicomté.

Les honorable homme sont présents dans 4 mariages d'écuyer, sieur de, dont un est trésorier de France, donc assimilé aux magistrats des Cours souveraines, et un autre avocat au Parlement mais qui épousent respectivement les filles du noble homme, lieutenant de la prévôté de la cavalerie, officier de judicature, notable en voie d'anoblissement, d'un receveur des tailles, de deux bourgeois de Paris. Ainsi on trouve les honorable homme dans des mariages qui unissent parfois un officier ou un avocat toujours avec des filles d'officiers ou de bourgeois de, donc dans des mariages « bourgeois » aux yeux des gentilhommes.

Les maître (avant-nom), avocats surtout, procureurs, notaire au Châtelet, figurent dans un ensemble de mariages plus nombreux et un peu plus relevés, 7 mariages d'écuyer, sieur de, dont deux épousent des filles d'écuyer, sieur de et un, la fille d'un conseiller, notaire et secrétaire du roi, maison et couronne de France. Les autres sont aux mariages des filles du lieutenant de la prévôté générale de cavalerie, d'un maître avocat au Parlement, d'un procureur au Châtelet, d'un bourgeois de Paris. Donc pour un seul de ces mariages on descend avec l'épouse au-dessous de la IVe strate, et pour trois, il s'agit d'une alliance égale dans la IIe strate.

Les magistrats, sont des membres des Cours souveraines, 7 du Parlement de Paris, dont 2 présidents, 1 président de la Cour des Aides, 1 auditeur à la Chambre des Comptes, 5 trésoriers de France, etc. et 2 magistrats du Châtelet. Ils figurent dans 6 mariages sur 15, mariages d'écuyer, sieur de, avec des filles de conseillers, notaires et secrétaires du roi, maison et couronne de France, donc dans des alliances égales de la IIe strate. Joignons-y 4 maîtres des requêtes qui signent aux mariages d'écuyers, sieur de, avec des filles d'écuyers, sieur de, alliances égales de la IIe strate.

Les officiers de la maison du roi, sont 9 officiers de la maison militaire, gardes du corps, mousquetaires, donc gentilshommes (IIe strate) et 7 de la maison civile : valet de chambre, secrétaire de la chambre du roi, maître d'hôtel, les uns nobles, les autres « notables » (IIIe strate). Ils signent au mariage d'un « écuyer, sieur de... garde du corps » avec une « demoiselle suivante » de la Cour, donc à une alliance égale de la IIe strate.

Bien des témoins n'ont pas de profession : marquis, écuyers, sieurs de, écuyers, sieurs de, nobles hommes. D'autres appartiennent à diverses profesisons : des officiers de finance, trésoriers de l'Extraordinaire des guerres, receveurs des tailles, élus ; des médecins ; un officier ministériel, sergent à verge au Châtelet ; un employé, premier commis du secrétaire d'Etat de la Vrillière, des « domestiques », intendants des maisons et affaires de, écuyers domestiques de maison, domestique.

La répartition de tous ces témoins suggère une correspondance entre leur statut social et les statuts sociaux des époux et des épouses. L'environnement social correspond au statut social. Il n'y a pas en réalité de relations entre la IIe strate et les strates inférieures. Un membre de la IIe strate peut prendre son épouse dans la IIIe, la IVe voire la Ve. Sensuit-il pour autant une fréquentation ?

III. — La strate des « noble homme », officiers et hommes de loi, en voie d'ascension sociale, nous présente un total de 216 témoins pour 19 mariages, soit en moyenne un peu plus de 11 témoins par mariage. Il y a 29 témoins au mariage d'un contrôleur général de l'artillerie de France avec la fille d'un noble homme, échevin de la Ville de Paris, qui apporte une dot de 50 000 livres tournois ; 4 témoins au mariage d'un auditeur des Comptes avec la fille d'un auditeur des Comptes, dot 95 000 livres ; 3 témoins au mariage d'un commissaire des guerres, officier de finance, avec la fille d'un maître suivant les finances, le chiffre le moins élevé.

Les maîtres de métier (VIIe strate) sont au nombre de 5, 2 % de l'ensemble des témoins. Ils sont témoins à 2 mariages seulement sur 19 : un maître barbier chirurgien au mariage d'un noble homme, chirurgien ordinaire du roi, qui épouse la veuve d'un huissier royal ; 4 autres maîtres de métier, chirurgien, rôtisseurs, tonnelier, chandelier, au mariage d'un noble homme, grand prévôt de la compagnie générale des gardes du roi, petit officier de judicature, avec la fille d'un noble homme, un des Suisses gardes du corps du roi. Il s'agit donc de cas exceptionnels, au niveau inférieur des noble homme. Nous pouvons dire, que, pratiquement, les noble homme ne prennent pas leurs témoins au-dessous du niveau des honorable homme, les derniers qui ont qualité d'honneur.

Les honorable homme (Ve strate) sont 42, 19 % du nombre total des témoins, 10 marchands, bourgeois de Paris, 12 marchands, 20 bourgeois de Paris. Ils assistent en particulier aux mariages d'officiers de finances, le degré moyen des officiers, entre ceux de justice et les ministériels. Ils sont 6 au mariage d'un conseiller secrétaire du roi et de ses finances avec la fille d'un bourgeois de Paris. 5 et 4 à 2 mariages de trésoriers de France, 5 à celui d'un conseiller du roi, élu en l'élection de, (la moitié des témoins) à celui d'un receveur des tailles, office comptable par lequel on commençait à se décrasser du négoce, 4 au mariage d'un contrôleur des droits sur le vin. Ils figurent donc dans les mariages d'officiers qui se qualifient de noble homme mais qui commencent à peine à sortir de la bourgeoisie.

Les maître (avant-nom) (IVe strate) sont 30, 13 % du total des témoins : 12 avocats, 16 procureurs, 1 notaire ; joignons-y un praticien. Ils apparaissent dans 10 mariages sur 19, ceux où l'époux ou l'épouse appartiennent au même milieu, aux 3e et 4e niveaux de la IIIe strate du noble homme, et ceux d'officiers de finance, des mêmes niveaux. On les voit aux mariages du contrôleur général de l'artillerie de France, d'un conseiller contrôleur général payeur des officiers de la maison du roi, d'un receveur des tailles, d'un conseiller, notaire, secrétaire du roi, maison et couronne de France, avec la fille d'un avocat au Parlement, de deux avocats au Parlement avec des filles d'avocats au Parlement, du contrôleur des droits sur le vin avec la fille d'un procureur au Châtelet, du conseiller du roi, élu en l'élection de, avec la fille d'un honorable homme, bourgeois de Paris.

Les officiers comptables, souvent dans la IIIe strate (les noble homme, 3e niveau), parfois dans la Ve (les honorable homme), trésoriers, receveurs, contrôleur de l'extraordinaire des guerres, des fortifications, de la maison du roi, receveur des tailles, du taillon, des rentes sont au nombre de 19, 9 % du total des témoins. Ils figurent dans les mariages des gens de finances, magistrats ou comptables, trois mariages de trésoriers de France, celui du contrôleur général de l'artillerie, au mariage du receveur des tailles.

Les officiers de la maison du roi sont au nombre de 20, soit 10 % du nombre total des témoins. Ce sont ici des membres assez humbles de la maison militaire : deux, qui sont probablement gentilshommes, un gendarme de la compagnie du roi (IIe strate), un garde du corps du roi, plus un des Suisses gardes du corps du roi qui se dit noble homme. Plus nombreux sont les officiers de la maison civile : un gentilhomme ordinaire de la chambre du roi, un gentilhomme servant du roi, un écuyer ordinaire de la maison du roi (IIe strate), deux maîtres d'hôtel du roi, 7 secrétaires de la chambre du roi, un contrôleur de l'argenterie du roi. La maison de la reine est représentée par un gentilhomme ordinaire de la reine et par un valet de chambre de la reine.

Ils figurent dans neuf mariages où sont concernés des officiers de finances, et où ils se répartissent à peu près suivant leur statut et celui des mariés. Dans les trois mariages de trésoriers de France, assimilés aux membres des Cours souveraines, signent le gentilhomme ordinaire de la reine, le contrôle de l'argenterie du roi, un chef de fourrière ordinaire du roi, 4 secrétaires de la chambre du roi. Au mariage d'un conseiller contrôleur général payeur des gages des officiers du roi avec la fille d'un valet de chambre du roi, sont présents un écuyer, sieur de, gentilhomme ordinaire de la chambre du roi, un écuyer de la maison du roi. Au mariage d'un contrôleur provincial de l'extraordinaire des guerres avec la fille d'un tailleur de la Cour, apparaît le garde du corps du roi. A celui d'un noble homme, sans profession, quelque rentier, avec la fille d'un apothicaire ordinaire de la Comtesse de Soissons, figure un valet de chambre de la reine. Enfin, trois secrétaires de la chambre du roi et le gendarme de la compagnie du roi signent au mariage d'un noble homme, maître avocat au Parlement, avec la fille d'un conseiller, procureur du roi dans un grenier à sel.

Les membres des Cours souveraines, auxquels nous joindrons les conseillers au Châtelet comme magistrats, sont 26, soit 10 % de l'ensemble. Ils apparaissent à 7 mariages sur 19 et surtout à des mariages de trésoriers de France et d'autres officiers de finance relevant d'eux, répartis selon les degrés de leurs statuts et de ceux des mariés. Par exemple, aux mariages des trésoriers de France, apparaissent le procureur du roi et un conseiller au Grand Conseil, un conseiller au Parlement, deux trésoriers de France, un conseiller au Châtelet. Au mariage d'un contrôleur général de l'artillerie avec la fille du noble homme, échevin de la Ville de Paris, signent 3 conseillers au Parlement de Paris, 4 maîtres ordinaires de la Chambre des Comptes, le contrôleur relevant de ces deux Cours souveraines, deux trésoriers de France, un conseiller au Châtelet, Deux conseillers au Châtelet sont présents au mariage d'un conseiller, notaire et secrétaire du roi, maison et couronne de France, avec la fille d'un noble homme, avocat au Parlement.

Il y a d'autres témoins : le gouverneur de la ville de Narbonne, le lieutenant général de Champagne, supérieurs hiérarchiques du contrôleur général de l'artillerie, la Comtesse de Soissons pour son apothicaire, 3 messires, sans profession (Ire strate), un écuyer, sieur de, un écuyer (IIe strate), et puis des officiers, un grand audiencier de France, un huissier du Cabinet du roi (maison du roi, chancellerie), un auditeur et un greffier de la Chambre des Comptes, un huissier au Parlement, deux commissaires examinateurs au Châtelet, deux commissaires de l'artillerie ; enfin, un employé commis au greffe du Conseil.

Nous arrivons donc aux mêmes conclusions que pour la seconde strate. Malgré l'ouverture apparente de l'éventail des témoins aux mariages des gens de la IIIe strate, depuis la Ire jusqu'à la Ve strate, en fait, le noyau des témoins se compose de gens de la même strate que l'époux. La présence des autres s'explique par des relations de profession, de clientèle, ou par l'hypergamie des femmes ou par des accidents de mobilité sociale.

IV. — Pour la IVe strate sociale, celle des maîtres (avant-nom), gens de loi, avocats, procureurs, notaires, praticiens, nous disposons de 243 témoins pour 30 mariages, en moyenne 8 témoins par mariage. Le maximum, 25 témoins, est compté au mariage d'un notaire au Châtelet qui épouse la fille d'un honorable homme, marchand, bourgeois de Paris. L'éventail est ouvert de la Ire à la VIIe strate (maîtres de métier). Mais tout de suite il apparaît que l'essentiel des témoins vient de la même strate sociale, la IVe, et de celle des honorable homme, marchand. En effet, sur 77 témoins, 24 % sont de la IVe strate, 26 avocats, 26 procureurs, 18 notaires, 13 praticiens, répartis dans 22 mariages sur 30, dont 9 mariages de procureurs sur 10, 2 mariages de notaires, un d'huissier audiencier, un de commis général aux Aides, un d'ayant charge des affaires d'un contrôleur ordinaire des guerres. Plus nombreux encore sont les témoins de la Ve strate, honorable homme, marchand, bourgeois de Paris, 85 témoins (26 %), dans 23 mariages sur 30. Ils apparaissent dans 9 mariages de procureur sur 10, dans 2 mariages de notaires, dans 2 d'huissiers audienciers. Ils sont 19 sur 25 (76 %) au mariage du notaire avec la fille de l'honorable homme, marchand, bourgeois de Paris. Mais quelques-uns d'entre eux sont certainement en fait de simples marchands, de la VIe strate. Cinquante pour cent des témoins viennent donc de ces niveaux moyens, assez étroitement liés ensemble.

Les statuts supérieurs sont moins représentés et ils le sont surtout sans doute pour des raisons professionnelles. Il y a 7 coneillers, notaires, secrétaires du roi, maison et couronne de France (2 %), 25 magistrats du Parlement, de la Chambre des Comptes, de la Cour des Aides, de la Cour des Monnaies, du Châtelet (8 %), 13 officiers des maisons du roi et de la reine dont 10 secrétaires de la chambre du roi, des « bourgeois ». 10 officiers comptables (3,5 %) dans 8 mariages (1 trésorier payeur des gages du Parlement, 6 commissaires et 1 contrôleur de l'ordinaire des presses, 1 commissaire de l'artillerie). En tout, 18 %. Mais l'on aurait souhaité pouvoir mieux discerner les rapoprts de parenté éventuels des 7 conseillers du Parlement, des 5 maîtres et des 4 auditeurs de la Chambre des Comptes, des 3 conseillers de la Cour des Aides, des 4 conseillers du Châtelet, avec nos gens de loi, pour voir si ces magistrats se recrutaient parmi eux.

Dans les statuts inférieurs, au niveau de la VIe (marchands boutiquiers) et de la VIIe strate (maître de métier) nous trouvons des huissiers (8,2 %), d'autres petits officiers du Châtelet, des domestiques (8,2 %), des maîtres de métier (26,8 %) orfèvres, chirurgiens, tapissiers, tailleurs d'habits, chandeliers, selliers, etc.). Mais les gens de métiers manuels restent une infime minorité, appelés pour des raisons de famille ou de clientèle.

Les conclusions auxquelles nous arrivons pour cette strate sont donc semblables à celles auxquelles nous sommes parvenus pour les trois précédentes. Il semble que la coupure s'effectue au niveau des métiers manuels et que nous puissions aller directement à ceux-ci.

V. — Nous pouvons considérer ensemble et à part les quatre dernières strates de notre hiérarchie sociale. La VIe, est celle des simples marchands, qui ne sont que la partie supérieure des maîtres de métier, de petits entrepreneurs, sauf les prétendus marchands de l'alimentation, qui ne sont que d'infimes revendeurs, et en éliminant de soi-disant marchands par usurpation, ouvriers, qui n'ont pu devenir maîtres. La VIIe strate est celle des maîtres de métier. La VIIIe, celle des compagnons. La IXe, celle des sans qualité, où dominent les ouvriers, souvent fraîchement arrivés de la campagne, et qui n'ont pu obtenir la maîtrise mais n'usurpent pas de titres. En tout, ces quatre strates nous présentent 3 238 témoins pour 616 mariages, soit une moyenne de 5 témoins par mariage, nettement inférieure à celle des catégories précédentes. En moyenne, le nombre des témoins décroît lorsque nous descendons les degrés de la hiérarchie sociale, mais c'est en moyenne seulement, car dans toutes les strates sociales et dans la IXe comme dans la première, des époux ont à eux deux plus de 20 témoins ou un seul.

Les marchands ne se trouvent que dans l'alimentation (37), le textile (6), le vêtement (30), le cuir (3). Pour 76 mariages, ils ont 467 témoins, en moyenne 6 par mariage, mais moins de 5 pour ceux de l'alimentation, plus de 9 pour ceux du cuir, plus de 8 pour ceux du textile, presque 7 pour ceux du vêtement. Donc le nombre des témoins est plus élevé pour les vrais marchands, entrepreneurs, que pour les petits détaillants de l'alimentation. Les maîtres existent dans toutes les catégories de métiers, avec 1 323 témoins pour 206 mariages, soit une moyenne de 6 témoins par mariage. Les compagnons ne se rencontrent que dans 8 catégories de métiers sur 19, l'alimentation, le bâtiment, le cuir, les métaux précieux, le mobilier, l'outillage, le textile, le vêtement. Ils ont 312 témoins pour 81 mariages, un peu moins de 4 par mariage. Les « sans qualité » se rencontrent dans 16 catégories de métier sur 19, excepté celles des armes, de l'outillage, du verre. Ils ont 1 134 témoins pour 253 mariages, un peu plus de 4 par mariage. Le nombre des témoins correspond donc à peu près au niveau dans la hiérarchie sociale. Il suggère une fragmentation plus grande en groupes d'environnement social plus petits, en réseaux de relations sociales moindres, au fur et à mesure de notre descente dans la hiérarchie sociale.

A l'examen de nos strates, en regroupant successivement les marchands, les maîtres de métier, les compagnons, les sans qualité, de toutes les catégories de métier, à la considération de nos métiers par ordre alphabétique, nous avons préféré l'étude de nos quatre strates dans chaque catégorie de métiers, et tenter un classement de nos métiers, selon l'estime sociale dans laquelle ils étaient tenus, en une hiérarchie descendante. L'estime sociale a été déterminée avec des risques d'erreurs, par la filiation et par les relations sociales volontaires, ici par la mention du nombre des témoins et par les signatures. Dans chaque catégorie de métiers, nous avons distingué les quatre strates des marchands (VIe), des maîtres de métier (VIIe), des compagnons (VIIIe), des sans qualité (IXe) et nous avons tenu compte pour classer socialement le métier de la strate supérieure atteinte par les membres (marchands ou maîtres de métier).

Nous nous sommes efforcés de distinguer, autant que les documents nous le permettaient, dans chaque strate sociale, les fils de marchands, les fils de maîtres de métier, les fils de compagnons, les fils de sans qualité, et pour chaque catégorie de fils, les filles de qui ils épousaient, filles de marchands, filles de maîtres de métier, filles de compagnons, filles de sans qualité. Pour chaque étage de filiation, autant que les documents le permettaient, nous nous sommes efforcés de tenir compte du nombre moyen des témoins ; de la proportion des parents et des amis, classant avant les autres ceux qui avaient plus de parents que d'amis ; du niveau supérieur atteint par les témoins parents ; du niveau inférieur au-dessous duquel ne descendaient pas les témoins parents, par exemple la VIIe, celui des maîtres de métier. Les documents ne nous ont pas permis d'ailleurs de remplir complètement ce programme. D'autres part, bien que nous ayons systématiquement compté et établi des rapports et proportions, le petit nombre des cas sur lesquels nous avons opéré ne nous permet aucune prétention statistique : notre travail reste qualitatif.

Nous ne prétendons pas être arrivés à la vérité parfaite. Nous rappelons que les catégories de métiers, distribuées selon les besoins humains, que nous avons dégagées d'une poussière de dénominations, suggérant l'existence à Paris, en 1634-1636, de 6 000 métiers différents, avec un sectionnement très avancé de la production, sont, dans l'ordre alphabétique, les métiers de l'agrément, de l'alimentation, des armes, du bâtiment, du cuir, de la décoration, des domestiques, des gens de bras, de la librairie-imprimerie, des métaux, du mobilier, de l'outillage, de la parure, de la santé, de la terre, du textile, des transports, du verre, des vêtements. Nous étudions ici seulement les métiers du vêtement, de l'alimentation, de la librairie-imprimerie, du cuir, de la santé (sans les médecins, qui n'ont pas un métier mais une profession), des métaux précieux, de la guerre, de l'outillage, des transports, du bois, du bâtiment. Nous avons laissé de côté des catégories qui nous offraient trop peu d'exemples.

1. Le vêtement est évidemment une catégorie très composite, car il y a toute une hiérarchie professionnelle de tailleurs, peut-être une différence professionnelle de nature entre ceux qui font du neuf et ceux qui rapetassent du vieux et vendent de l'occasion, comme les fripiers, et nous avons classé dans le vêtement, à côté des tailleurs et des fripiers, les pourpointiers, les bonnetiers, les chapeliers, les ceinturiers, et même un costumier sur soie et deux racousteurs de bas d'étamine. Nous présentons donc nos résultats avec prudence.

Dans les marchands du vêtement (VIe strate), nous en distinguons d'abord 14, 3 marchands bonnetiers et 11 marchands fripiers qui épousent des filles d'honorable homme, marchand. Ils ont 126 témoins, 86 parents, 40 amis, soit une moyenne de près de 10 par mariage. 46 témoins (33 parents, 13 amis) ont la même qualité et le même métier que l'époux, 58 la même qualité que lui, 63 le même métier. 52 % des témoins appartiennent aux quatre dernières strates, 58 marchands (42 parents, 16 amis), 11 maîtres, parents, 6 compagnons, parents, 3 sans qualité, parents. La VIe strate l'emporte de beaucoup, comptant 46 % des témoins. Il y a 25 % de témoins de la Ve strate, des honorable homme, marchand, marchand bourgeois de Paris ou bourgeois de Paris, 12 parents, 20 amis, 5 de la IVe strate, maître (avant-nom), 3 parents, 2 amis, 3 de la IIIe strate, les noble homme, 2 parents, 1 ami, 2 sieurs de, de l'on peut rattacher à la IIe strate, parents, 1 écuyer, sieur de, de la IIe strate, aussi, enfin 2 membres de la Ire strate, les messire, amis, un monsieur maître (Cours souveraines) et un chanoine. Les parents s'échelonnent des abords de la IIe strate à la IXe, mais les relations semblent surtout se nouer avec la VIe et la Ve strates.

Les marchands du vêtement qui épousent des filles de maîtres de métier ou de laboureur, que je considère comme analogues d'une analogie de proportionnalité, sont 4 marchands fripiers. Ils ont 33 témoins, 28 parents, 5 amis, en moyenne 8 par mariage. 22 témoins ont le même métier que l'époux, 18 la même qualité, 8 à la fois le même métier et la même qualité, 7 parents, 1 ami. 78 % des témoins sont dans les quatre dernières strates, mais 63 % dans la VIe et la VIIe strates, 10 marchands, 8 parents, 2 amis, 11 maîtres, 10 parents, 1 ami. Il y a 4 compagnons parents, et 1 sans qualité parent. 4 honorable homme figurent, mais 3 honorable homme, maître, parents et 1 seul marchand, honorable homme.

Dans les maîtres du vêtement (VIIe strate) nous avons distingué les maîtres, fils de marchands, et les maîtres, fils de maîtres. Les maîtres, fils de marchands, sont 4, tailleurs. Ils ont 25 témoins, 9 parents, 16 amis, 6 par mariage. 16 témoins ont le même métier que l'époux, 8 la même qualité que l'époux, et 6 à la fois la même qualité et le même métier (dont 5 amis). 76 % des témoins se répartissent dans la VIe, la VIIe et la IXe strates. 5 marchands, 2 parents, 3 amis, 8 maîtres, 3 parents, 5 amis, 6 sans qualité, 3 parents, 3 amis. Un parent, marchand privilégié suivant la Cour, peut être rattaché à la Ve strate, un ami, sieur de, à la IIe, 3 amis ont des offices de la maison du roi, un ami est chanoine et, comme tel, rattaché à la Ire strate. La chute dans la hiérarchie sociale est verticale par rapport aux marchands de vêtement.

Les maîtres du vêtement, fils de maître, sont 5 : 2 tailleurs, 1 pourpointier, 1 chapelier, 1 ceinturier. Ils ont 43 témoins, en moyenne entre 8 et 9. 9 témoins ont même qualité et métier que l'époux (6 parents, 3 amis), 16 même qualité (12 parents, 4 amis), 15 même métier (9 parents, 6 amis). 53 % des témoins appartiennent aux VIe et VIIe strates, 7 marchands, 6 parents, 1 ami, 16 maîtres, 12 parents, 4 amis. 28 % appartiennent aux honorable homme de la Ve strate, mais parmi eux 3 sont des maîtres de métier, amis, 5 sont des marchands ou des bourgeois de Paris parents. Enfin, il y a un avocat, ami (IVe strate), 1 sieur de, et 1 gendarme des ordonnances du roi, parents, probablement tous deux de la IIe strate, un chanoine, docteur en théologie parent (Ire strate), un compagnon, aussi (VIIIe strate), un sans qualité, aussi (IXe strate), ces deux derniers sans doute des « travaillant pour », et enfin un ami, officier de la maison de la reine, qui ne doit pas dépasser la Ve strate. Donc, l'environnement social de nos maîtres du vêtement, fils de maîtres, appartient essentiellement aux Ve, VIe et VIIe strates, mais ce sont des familles en ascension sociale.

Nous avons finalement considéré à part les maîtres du vêtement fils de sans qualité ou de père laissé dans l'ombre, ce qui a une signification encore pire socialement. Douze maîtres sont dans ce cas, 8 tailleurs, 2 pourpointiers, 1 chapelier, 1 ceinturier. Ils ont 61 témoins, en moyenne 5 par mariage, près de moitié moins que les maîtres, fils de maître. Les témoins comptent 22 parents, 39 amis, donc ici une proportion de parents et d'amis inversée. Ainsi, il se confirme que les sans qualité ou les fils de sans qualité appartiennent à des familles « neuves » relativement, à Paris. Seize témoins ont à la fois même qualité et même métier que l'époux (7 parents, 9 amis), 31 la même qualité que l'époux (15 parents, 16 amis), 18 le même métier que l'époux (tous amis). 50 % sont des maîtres de métier, 7 % soit 4, des marchands parents, 17 % des honorable homme (V^{e} strate), maîtres de métier (3), marchands (3), bourgeois de Paris (3), simple honorable homme (1), en tout 10, tous amis. Il y a 5 noble homme (IIIe strate), 1 maître (avant-nom) (IVe strate), 1 écuyer, sieur de, et sieur de (IIe strate), 1 conseiller du roi, 2 autres officiers, 1 prêtre. Tous ceux de la IVe strate et au-dessus sont des amis. Un compagnon (VIIIe strate) est ami. Deux sans qualité (IXe strate) sont parents et 1 conseiller du roi, est parent. Par conséquent, si nous laissons de côté les amis, probablement des clients, en dehors de ceux qui sont eux-mêmes maîtres, et si nous considérons les parents, nous voyons que l'essentiel de l'environnement social est constitué par des gens de la VIe et surtout de la VIIe strates. On traîne encore peu de parents sans qualité et un parent est en train de percer par les offices.

Les compagnons du vêtement sont 11, 9 tailleurs, 2 fripiers. Mais aucun n'est fils de compagnon ou de sans qualité. Ils comprennent 1 fils d'exempt des gardes du corps de Monsieur le Comte de Soissons, donc sous-officier ; 3 fils de marchands, 3 fils de maîtres, 4 fils de laboureurs, analogues aux maîtres. Ils ont 44 témoins (17 parents, 27 amis), donc en moyenne 4 témoins par mariage. La moyenne du nombre des témoins diminue toujours avec la descente dans la hiérarchie sociale, et de même la proportion des parents diminue par rapport aux amis. Aucun témoin n'a à la fois la même qualité et le même métier que l'époux, un seul, un ami, a la même qualité. 17, dont 10 amis, ont le même métier. 62 % de leurs témoins appartiennent aux 4 dernières strates, mais 49 % aux VIe et VIIe strates, 11 maîtres de métier (6 parents, 5 amis) (24 %), 11 marchands (3 parents, 8 amis) (25 %). Il y a un compagnon, ami, 5 sans qualité, 4 parents, 1 ami. Les honorable homme (V^e^ strate) sont 6, marchands, marchands bourgeois de Paris, un marchand privilégié suivant la Cour, mais tous amis, et probablement employeurs. 23 % des témoins semblent appartenir aux 4 premières strates, dont 4 parents : 1 noble homme (IIIe strate), 1 écuyer, sieur de et 1 sieur de (IIe strate), 1 notaire en Cour de Rome, et 6 amis, 1 noble homme, 3 autres officiers civils, un capitaine et un messire (1re strate). Tout ceci suggère que ces compagnons appartiennent à des familles en pleine mobilité sociale ascendante, et l'on peut se demander si leur groupe professionnel forme vraiment groupe social.

Enfin, les sans qualité du vêtement sont 38 : 34 tailleurs, 1 costumier sur soie, 1 fripier, 2 racousteurs de bas d'étamine. Ils ont 188 témoins, soit près de 5 par mariage. 28 témoins ont même absence de qualité et même métier que l'époux ; 44 sont sans qualité comme l'époux ; 107 ont le même métier que l'époux. 67 % des témoins appartiennent aux 4 dernières strates, dont 41 % aux VIe et VIIe, 37 % de maîtres de métier, 59, 30 parents, 29 amis, 24 % de marchands, 17 parents, 11 amis. Il y a 6 compagnons parents, 3 % ; 44 sans qualité, 23 %, dont 25 parents et 19 amis. 20 témoins, 12 %, appartiennent à la Ve strate des honorable homme, dont 4 parents et 16 amis. Enfin, 6 appartiennent à la IVe strate des maîtres (avant-nom) dont 1 parent et 5 amis (4 %), 5 à la IIIe strate des noble homme (3 %), tous amis, et il y a des indéterminés, petits officiers royaux, 6, 3 parents, 3 amis, 2 officiers de maisons des princes, amis, qu'il faudrait sans doute mettre au niveau des maîtres de métier. Le nombre de sans qualité et des compagnons, gens que toutes les strates fuient le plus possible, le petit nombre des parents dans la Ve strate des honorable homme, l'absence de parents dans les strates supérieures, confirment l'infériorité de l'environnement social de la IXe strate et de cette strate elle-même.

2. Les métiers de l'alimentation, bouchers, charcutiers, boulangers, pâtissiers, cuisiniers, rôtisseurs, fruitiers, marchands de vin, vinaigriers, fromagers, présentent naturellement de nombreux cas. Nous rappelons les ambiguïtés de la qualité de marchand qui peut désigner des entrepreneurs du commerce et de la fabrication, donc la partie inférieure des maîtres de métier, en voie de passage au négoce, mais aussi, dans l'alimentation, d'infimes détaillants, et, un peu dans tous les métiers, des usurpateurs qui n'ont pas réussi à devenir maîtres mais veulent se faire glorieux.

Ceci posé, nous trouvons d'abord dans l'alimentation des marchands qui épousent des filles d'honorable homme (V^e^ strate) ou de menus officiers des maisons royales ou princières (VIe et VIIe strates) et qui doivent donc appartenir réellement à la VIe strate. Nous en avons 8, 6 marchands de vin, 1 marchand vinaigrier, 1 marchand épicier. 74 témoins ont signé, plus de 9 par mariage. 12 ont le même métier que l'époux, 8 parents, 4 amis. Aucun témoin n'appartient aux VIIIe et IXe strates. 35 % appartiennent aux VIe et VIIe strates, 12 maîtres de métier, 9 parents, 3 amis (16 %), 14 marchands, 7 parents, 7 amis (19 %). 28 % sont de la Ve strate des honorable homme, marchand, marchand bourgeois de Paris, bourgeois de Paris, 19, 12 parents, 7 amis. 24 % appartiennent à la IVe strate des hommes de loi, 6 parents, 12 amis. 5 % relèvent de la IIIe strate, les noble homme officiers du roi, 2 parents, 2 amis. Il y a 7 officiers des maisons du roi, de la reine et des princes, 3 parents, 4 amis, difficiles à classer, mais appartenant sans doute aux VIe et VIIe strates. Enfin un ami est messire, un maître des requêtes (1re strate, 3e niveau). L'éventail s'ouvre par les parents de la VIIe à la IIIe strate, avec prédominance de la Ve et de la VIe strates. Il s'agit donc d'un niveau supérieur de marchands, qui comprend d'ailleurs un marchand des Six-Corps, l'épicier, et 6 marchands qui prétendaient faire partie d'un septième corps, de même niveau juridique que les Six-Corps, les marchands de vin.

Nous trouvons ensuite 9 marchands de l'alimentation qui épousent des filles de marchands, 1 épicier, 6 marchands de vin, 1 boulanger, 1 fromager. Ils ont 62 témoins, presque 7 par mariage. 14 ont le même métier que les époux, 10 parents, 4 amis. 55 % appartiennent aux VIe, VIIe et IXe strates, 12 marchands, 10 parents, 2 amis, 19 %, 14 maîtres de métier, 8 parents, 6 amis, 22 % (dont un laboureur, parent), 7 sans qualité, 4 parents, 3 amis (11). 20 % sont des honorables hommes (V^e^ strate), mais 4 parents seulement et 8 amis. Ici les proportions parents-amis s'inversent. 2 parents ont des titres d'offices de la maison du roi (probablement VIe ou VIIe strate). Il y a 9 maître (avant-nom), 2 parents, 7 amis, 15 %, auxquels il faudrait sans doute joindre un docteur régent de médecine, cousin de la fille d'un marchand. Un écuyer, sieur de (IIe strate), est ami. Par les parents, l'éventail s'ouvre de la IXe à la IVe strate, avec prédominance de la VIe et de la VIIe.

Les marchands de l'alimentation qui épousent des filles de maîtres sont également 9, 2 épiciers, 5 marchands de vin, 2 fruitiers. Ils ont 47 témoins, 21 parents, 26 amis dont 8 ont le même métier que l'époux, 3 à la fois la même qualité et le même métier, 7 la même qualité.

La moyenne est un peu supérieure à 5 par mariage. Le nombre des témoins décroît régulièrement avec le degré de l'union. 62 % des témoins appartiennent aux 4 dernières strates, 7 marchands, 3 parents, 4 amis (15 %), 15 maîtres de métier, 9 parents, 6 amis (32 %) ; 1 compagnon, parent, 6 sans qualité, 5 parents, 1 ami (13 %). Les honorable homme (Ve strate) sont 10, mais 2 parents et 8 amis. Il y a 3 maîtres (avant-nom), IVe strate, 2 noble homme (IIIe strate), mais ce sont des amis. Par les parents, l'éventail s'ouvre de la IXe à la Ve strate, mais dès la VIe strate des marchands, le rapport parents-amis s'inverse. Les parents sont les plus nombreux dans les VIIe (maîtres de métier), VIIIe (compagnons) et IXe strates (sans qualité).

Enfin, nous trouvons des marchands de l'alimentation qui épousent des servantes ou des filles de sans qualité. Ils sont 11 : 6 marchands de vin, 1 boucher, 1 boulanger, 3 fruitiers. Ils ont 41 témoins, 31 parents, 11 amis, soit près de 4 par mariage. 10 témoins ont même métier, même qualité que l'époux, 8 parents, 2 amis ; 16 le même métier ; 12 la même qualité. 69 % appartiennent aux VIe, VIIe, IXe strates ; 12 marchands, 10 parents, 2 amis, 29 % ; 4 maîtres, parents, 10 % ; 12 sans qualité, 10 parents, 2 amis, 29 %. 20 % font partie des honorable homme de la Ve strate, 9, 5 parents, 4 amis ; 4 sont des maîtres (avant-nom), 8 % (IVe strate), 2 parents, 2 amis. La répartition des témoins, les proportions de parents dans les différentes strates, feraient de ce groupe de marchands le supérieur des précédents, malgré la bassesse de leurs unions.

Les maîtres de métiers de l'alimentation nous présentent 16 fils de maîtres ou de laboureurs qui sont les analogues des maîtres, d'une analogie de proportionnalité : 1 boulanger, 4 pâtissiers, 2 cuisiniers, 7 rôtisseurs, 2 charcutiers. Ils ont 110 témoins, 68 parents, 42 amis, près de 7 par mariage, autant que les marchands qui épousent des filles de marchands, ce qui souligne le haut niveau social relatif des maîtres, fils de maîtres. 66 % des témoins sont dans les 4 dernières strates, dont 46 % dans VIe (marchands) et la VIIe (maîtres de métier). Nous trouvons 19 sans qualité, 12 parents, 7 amis (17 %) ; 3 compagnons, parents ; 32 maîtres, 21 parents, 11 amis (29 %) ; 19 marchands, 12 parents, 7 amis (7 %), les honorable homme (Ve strate) sont 19, 9 parents, 10 amis (17 %). Les maîtres (avant-nom) IVe strate, sont 11, 4 parents, 7 amis (10 %), dont maître Guy Patin, docteur en médecine, ami. Il y a 3 noble homme (IIIe strate) mais tous amis. Enfin, nous trouvons un écuyer, parent (IIe strate).

Gens difficiles à classer, 4 menus officiers de la maison du roi, 3 parents, 1 ami, 6 de la maison de la reine, 4 parents, 2 amis, qui peuvent être de la Ve, de la VIe, ou même de la VIIe strate, des marchands, des maîtres de métier, qui se revêtent d'un de ces offices de Cour, qu'on exerçait un trimestre par an, ou quelques heures par semaine. Enfin, 2 prêtres amis. L'éventail s'ouvre tout de même par les parents de la IXe à la IIe strate, avec le plus grand nombre de parents dans la VIe et la VIIe strates, et des rapports parents-amis qui commencent à s'inverser à partir de la Ve strate, un environnement social certainement supérieur à celui des soi-disants marchands qui épousent des filles de maître, de servantes, de sans qualité, et même supérieur à celui des marchands ou prétendus tels qui épousent des filles de marchands. Tout ceci confirme l'importance sociale relative des maîtres, fils de maîtres, l'importance de la succession des générations dans la même qualité, l'importance de l'ascendance et de la filiation, le caractère de lignages des familles de maîtres, fils de maîtres.

Les compagnons de l'alimentation sont 13 : 1 épicier, 2 pâtissiers, 2 boulangers, 8 rôtisseurs. 5 sont fils de maîtres de métier ou de laboureurs. Ceux-ci ont 42 témoins, 23 parents, 19 amis, une moyenne de plus de 8 par mariage. 64 % appartiennent aux dernières strates : 9 amis sans qualité (21 %) ; 4 compagnons dont 3 parents, 1 ami (9 %) ; 9 maîtres de métier, 4 parents, 5 amis (21 %) ; 5 marchands, 3 parents, 2 amis (12 %) ; les honorable homme de la Ve strate sont 6, 1 parent, 5 amis (13 %) ; 3 maîtres (avant-nom) de la IVe strate, se répartissent en un parent praticien et 2 amis ; 2 noble homme, dont 1 sieur de (IIIe strate) sont amis ; un parent est « écolier » à l'Université. Par les parents, ces compagnons vont de la VIIIe à la Ve strate, et ils effleurent la IVe. Le groupe le plus important reste celui des maîtres de métier.

Les 8 compagnons, fils de sans qualité ou de père non mentionné, n'ont que 30 témoins, 14 parents, 16 amis, presque 4 par mariage, beaucoup moins que les compagnons fils de maîtres selon l'habitude. 74 % appartiennent aux 4 dernières strates sociales, dont 57 % aux VIIe et VIIIe strates. Selon l'habitude aussi, ces fils de sans qualité ont peu de sans qualité comme témoins, 2, parents (7 %). Ils ont davantage de compagnons, 4, 1 parent, 3 amis (14 %). Les maîtres de métier sont le plus grand nombre, 13, 6 parents, 7 amis, 43 %. Les marchands sont 3, 2 parents, 1 ami (10 %). Les honorable homme de la Ve strate sont 6, 2 parents, 4 amis (19 %). Il y a un soldat, parent ; un écuyer, garde du corps du roi (IIe strate), ami. Par les parents, l'éventail va de la IXe à la Ve strate.

Les sans qualité de l'alimentation (IXe strate) sont 19 : 1 épicier, 4 bouchers, 2 charcutiers, 5 boulangers, 2 pâtissiers, 3 cuisiniers, 1 rôtisseur, 1 fruitier. Ils ont 95 témoins, dont 32 du même métier, 55 parents et 40 amis, 5 par mariage. 77 % sont dans les 4 dernières strates, mais il y a seulement 19 sans qualité, 13 parents, 6 amis (18 %). Les sans qualité ne tiennent pas aux sans qualité. Un seul compagnon est là mais 35 maîtres de métier, 18 parents, 17 amis (36 %), la catégorie de témoins la plus nombreuse. Les marchands sont 21, 14 parents, 7 amis, 22 %. 58 % se trouvent donc dans la VIe et la VIIe strates. Les honorable homme de la Ve strate sont 7, 3 parents, 4 amis, 8 %. Six maître (avant-nom) ont signé (IVe strate), 3 parents, 3 amis. Nous avons un menu officier de la maison du roi et un d'une maison princière, et un prêtre. Par les parents l'éventail est ouvert de la IXe à la IVe strate, au-dessus de laquelle aucun témoin ne s'élève. Ainsi l'environnement social des sans qualité apparaît comme supérieur à celui des compagnons, fils de sans qualité, sensiblement égal à celui des compagnons, fils de maîtres, mais inférieur à celui des maîtres.

3. Dans la catégorie de la librairie-imprimerie, il y a un seul marchand libraire que nous avons mis avec les maîtres papetiers et les maîtres imprimeurs (VIIe strate, 5 cas) et 4 sans qualité, deux imprimeurs, un graveur, un enlumineur (IXe strate).

La VIIe strate nous présente 26 témoins, 11 parents, 15 amis, dont 9 ont le même métier et 7 la même qualité que l'époux, en moyenne plus de 5 par mariage. 70 % appartiennent aux quatre dernières strates sociales, des marchands, 2 parmi les parents, 4 parmi les amis, des compagnons, 1 parent, 1 ami, des sans qualité, 2 amis. 20 % des témoins apaprtiennent à la Ve strate des honorable homme, parmi les parents, 1 marchand bourgeois de Paris, 1 bourgeois de Paris, parmi les amis, 2 marchands, 2 honorable homme, sans profession. Enfin, il y a 2 maîtres (avant-nom) (IVe strate) parmi les parents.

La IXe strate nous offre 21 témoins, 13 parents, 8 amis, dont 3 ont le même métier, 5 la même absence de qualité que l'époux. 75 % appartiennent aux quatre dernières strates sociales, 4 parents sans qualité, et un ami, 3 parents maîtres de métier dont 1 laboureur, et 2 amis, 5 marchands dont 1 parent et 4 amis. Les honorable homme sont 25 % (V[e] strate) dont 5 parents et ami. On ne monte pas au-dessus. L'environnement social de la IXe strate apparaît donc comme inférieur à celui de la VIIe dans le même métier.

4. Les métiers du cuir, tanneurs, corroyeurs, baudroyeurs, bourreliers, selliers, cordonniers, savetiers, très bien représentés à Paris, nous permettent de tenter une différenciation. Ils comptent 3 marchands, de VIe strate, qui épousent des filles de marchands. Ensemble, ils ont 29 témoins, 15 parents, 14 amis, en moyenne plus de 9 par mariage. La moitié appartiennent aux quatre dernières strates, 3 marchands, 1 parent, 2 amis, 10 maîtres de métier, 4 parents, 6 amis, plus du tiers des témoins, 1 compagnon parent, 1 sans qualité parent. Les honorable homme (V[e] strate) sont 3 (9 %) dont 2 parents. Mais les quatre strates supérieurs comptent 11 témoins (38 %) : 5 maîtres (avant-nom) (IVe strate), dont 3 parents, 2 amis ; 1 noble homme (IIIe strate), ami ; 1 écuyer, sieur de, parent, et 1 sieur de, ami (IIe strate) ; un monsieur maître, sieur de (Ire strate, 3e état) et 2 messire (Ire strate), tous trois amis. Par les parents, l'éventail s'ouvre donc de la IXe à la IIe strate, incluse. Et dans ces familles, en pleine ascension sociale, il faut souligner le rôle de charnière que jouent les gens de loi.

Les maîtres de métiers du cuir sont 41. Tout d'abord 7 maitres sont fils de marchands, 1 corroyeur, 1 bourrelier, 4 cordonniers, 1 savetier. Ils ont 58 témoins, 31 parents, 27 amis, en moyenne plus de 8 par mariage. 75 % de leurs témoins appartiennent aux quatre dernières strates, 14 sans qualité, 11 parents, 3 amis (24 %), 2 compagnons amis, 22 maîtres de métier, 15 parents, 7 amis (38 %), 6 marchands, 3 parents, 3 amis (10 %). Les honorable homme (V[e] strate) sont 6 (10 %), 1 parent, 5 amis. Trois écuyers et un sieur de, tous amis, représentent la IIe strate, 2 messire, amis, la Ire. L'éventail réel va de la IXe à la IVe strate et effleure la Ve.

Les maîtres des métiers du cuir fils de maîtres sont 16 : 3 corroyeurs baudroyeurs, 1 bourrelier, 5 cordonniers, 6 savetiers. Ils ont 106 témoins, 70 parents, 36 amis, ce qui confirme la force des lignages chez les maîtres de père en fils. La moyenne est de 6,5 témoins par mariage. 78 % de leurs témoins appartiennent aux 4 dernières strates, mais 55 %, 59, à la VIIe strate, la leur, 46 parents, 13 amis. 11 (10 %), 8 parents, 3 amis, sont des marchands (VIe strate). Il y a un compagnon, parent et 13 sans qualité (IXe strate), 7 parents, 6 amis (12 %), 7 honorable homme (marchand bourgeois de Paris, bourgeois de Paris, marchand privilégié suivant la Cour), dont 3 parents et 4 amis (6 %). Quatre menus officiers sont sans doute à rattacher aux maîtres de métier. Nous trouvons 1 maître (avant-nom) (IVe strate), puis un prêtre, tous deux parents. Le reste est composé d' « amis », 6 noble homme (IIIe strate), dont 3 ayant la qualité de conseiller du roi, c'est-à-dire qu'ils ne sont pas membres du Conseil du roi, un écuyer (IIe strate), un messire, maître des requêtes (Ire strate). L'ouverture réelle va donc de la IXe à la IVe strate, qu'elle affleure. Il y a donc un degré de moins des fils de marchands aux fils de maîtres.

Les maîtres des métiers du cuir, fils de sans qualité, de compagnons ou de pères non mentionnés, sont 18, un tanneur, 3 corroyeurs, 1 bourrelier, 2 cordonniers, 11 savetiers. Ils ont 79 témoins, 34 parents, 45 amis, en moyenne 4 témoins par mariage. C'est le cas habituel de cette catégorie de maîtres : moindre nombre de témoins, inversion des nombres de parents et d'amis, et qui souligne l'importance de l'ascendance et de la filiation, l'importance des lignages même au niveau des maîtres de métier, et la difficulté pour le menu peuple de constituer des lignages, la réduction du faisceau des relations sociales. 68 % des témoins sont dans les 4 dernières strates, dont 41 % dans la VIIe, les maîtres de métiers, 32, 17 parents, 15 amis. 10 (13 %) sont des marchands de la VIe, 3 parents, 7 amis. Il y a un compagnon, ami, et 10 sans qualité (13 %), 6 parents, 4 amis. Les honorable homme (V[e] strate) sont 10 (13 %), 3 parents, 7 amis. Ajoutons un étudiant de Sorbonne, futur prêtre, parent et 3 prêtres parents. Les autres sont des « amis » : 3 maîtres (avant-nom) (IVe strate), 2 messire (Ire strate). L'éventail réel, va de la IXe à la Ve strate, mais les prêtres et le futur prêtre vont favoriser l'ascension sociale de quelques-uns de leurs neveux.

Les compagnons des métiers du cuir, fils de marchands, sont 3, 1 corroyeur, 2 savetiers. Ils ont 17 témoins, 9 parents, 7 amis, presque 6 témoins par mariage. 85 % de leurs témoins appartiennent aux VIe, VIIe et VIIIe strates, mais plus de la moitié, 9, à la VIIe, les maîtres de métier, 5 parents, 4 amis. Les marchands de la VIe sont 5 (29 %), 3 parents, 2 amis. Un compagnon (VIIIe) est parent. 2 honorable homme (V[e] strate) sont amis (12 %). Bien que fils de marchands, leurs relations ne vont pas au-delà.

Les compagnons, fils de maîtres, ou de laboureurs, leurs analogues, sont 6, 3 cordonniers, 3 savetiers. Ils ont 31 témoins, 16 parents, 15 amis, en moyenne 5 par mariage. 81 % de leurs témoins appartiennent aux VIe, VIIe et IXe strates, mais 65 % à la VIIe, celle des maîtres de métier, 20, 9 parents, 11 amis. 4 témoins (13 %) sont de la VIe, les marchands (13 %), 3 parents, 1 ami. Un parent est sans qualité. 15 % des témoins appartiennent à la Ve strate, les honorable homme, marchand, bourgeois de Paris, 5, dont 3 parents, 2 amis. Enfin un ami est noble homme (IIIe strate). L'éventail réel comprend donc les Ve, VIe et VIIe strates, et ces compagnons ne font qu'un stage professionnel.

Les compagnons des métiers du cuir, fils de sans qualité ou de pères non mentionnés, sont 11, 5 cordonniers, 6 savetiers. Ils ont 82 témoins, 35 parents, 47 amis, 7 par mariage, moyenne élevée pour cette catégorie. Les autres caractères sont les habituels pour les fils de sans qualité. 80 % des témoins sont dans les 4 dernières strates, 9 chez les sans qualité (IXe strate), 5 parents, 4 amis, 11 % ; 7 sont compagnons (VIIIe strate), 5 parents, 2 amis, 9 % ; 40 sont des maîtres de métier (VIIe strate), 15 parents, 25 amis, soit 50 % ; 8 sont des marchands (VIe strate), dont 7 parents et un ami, 10 %. 8 appartiennent aux honorable homme (V^e^ strate), mais avec seulement 2 parents et encore l'un est maître de métier. Il y a 3 maître (avant-nom) dont 1 parent, 2 amis, et 3 autres amis, un écuyer, sieur de (IIe strate), un capitaine des gardes (Ire strate), et un étudiant de Sorbonne, futur prêtre. L'éventail des parents va donc de la IXe à la IVe strate, mais le grand nombre est cantonné dans les 4 dernières.

Enfin la strate des artisans du cuir sans qualité offre 13 cas : 2 tanneurs, 1 peausseur de cuir, 6 cordonniers, 5 savetiers. Ils ont 61 témoins, 26 parents, 35 amis, 4,5 par mariage. Ce sont les caractères habituels des sans qualité : réduction du nombre des relations, inversion des nombres de parents et d'amis. 63 % des témoins sont dans les 4 dernières strates, ce qui ici est relativement peu : 12 sans qualité, 7 parents, 5 amis (20 %) ; 3 compagnons, 1 parent, 2 amis ; 19 maîtres de métier, 11 parents, 8 amis, 31 % ; 4 marchands, 2 parents, 2 amis, 7 %. C'est dans ces 4 strates que se trouve la plus forte proportion de parents. La Ve strate, des honorable homme, est relativement très bien représentée, mieux que d'ordinaire pour les sans qualité, presque 25 %, 15 personnes, mais 4 parents et 11 amis. Nous trouvons ensuite des amis, un menu officier de la maison de la reine, un écuyer, sieur de (IIe strate), un capitaine des gardes de Monseigneur (Ire strate). L'éventail social va donc de la IXe à la Ve strate, mais si nous considérons les parents, il pénètre assez peu la Ve strate.

5. Les métiers de la santé, ne nous présentent ni la VIe ni la VIIIe strate. Dans la VIIe strate, celle des maîtres, nous avons 2 barbier-chirurgien, 2 barbier-étuvistes, dont 2 fils de maître (avant-nom) et 1 fils de maître de métier. Ils groupent 37 témoins, 23 parents, 14 amis, soit 9 par mariage. 6 ont le même métier que l'époux, 18 la même qualité. 40 % appartiennent aux strates VI et VII : 10 maîtres de métier (dont 2 laboureurs), parents, 4 marchands dont 3 parents et 1 ami. 19 % viennent de la Ve strate, des honorable homme, ici tous marchands, bourgeois de Paris, ou bourgeois de Paris, 8 en tout, 6 parents, 2 amis. Des strates supérieures, nous

trouvons 36 % des témoins, 6 officiers, 3 parents, 3 amis ; 5 maître (avant-nom) (IVe strate), 1 parent, 4 amis, 3 noble homme (IIIe strate), dont 1 parent, 2 amis, enfin 1 écuyer, ami (IIe strate). Les parents nous permettent donc de dire que l'éventail de l'environnement social s'ouvre de la IIIe à la VIIe strate.

6. Dans les métaux précieux, la VIe strate des marchands n'est pas représentée. Nous trouvons les trois autres. La VIIe strate nous offre 4 maîtres orfèvres et 1 maître faiseur d'étain dont on pourra contester le classement avec les autres. Il y a 2 fils de marchands, fils de maître, 1 fils de sans qualité. Ils ont 46 témoins, 25 parents, 25 amis, soit plus de 9 témoins par mariage, huit témoins ont le même métier que l'époux, 18 la même qualité. 47 % des témoins appartiennent à la VIe et à la VIIe strates, 14 maîtres de métier dont 6 parents, 8 amis, 8 marchands, dont 6 parents, 2 amis. La VIIIe et la IXe strates ne sont pas représentées. 30 % des témoins appartiennent à la Ve strate des honorable homme, maître de métier, tous parents. La IVe strate est représentée par 2 maître (avant-nom), 1 parent, 1 ami. Les strates supérieures ne sont là que par des « amis », probablement des clients dont nos gens sont les fournisseurs, 2 noble homme (IIIe strate), 1 sieur de et 1 écuyer, sieur de (IIe strate), 1 monsieur maître, membre d'une Cour souveraine (Ire strate). L'environnement social va donc en fait de la Ve à la VIIe strate.

Dans la VIIIe strate, les compagnons sont tous fils de sans qualité. Il y a 2 compagnons orfèvres et 1 compagnon affineur d'or et d'argent. Ils ont 16 témoins, 7 parents, 9 amis, donc plus de 5 par mariage. 5 témoins ont le même métier que l'époux, 2 la même qualité. 72 % des témoins sont dans les quatre dernières strates sociales, mais en ce qui concerne les parents dans les trois dernières. Il y a en effet un seul marchand, ami, 6 maîtres de métier, 4 parents, 2 amis, 1 compagnon ami, 4 sans qualité, 3 parents, 1 ami. Deux honorable homme seulement (Ve strate), 12 % mais parents. Enfin 2 maîtres (avant-nom) (IVe strate), 12 % seulement « amis », des gens sans doute pour qui l'on travaille habituellement.

Dans la IXe strate, les « sans qualité », nous avons 5 cas, 2 orfèvres, 1 travaillant en vaisselle d'argent, 1 ouvrier en bagues de cuivre, 1 fondeur. Ils ont 15 témoins, 4 parents, 11 amis, 3 par mariage. 7 ont le même métier que l'époux, 2 la même qualité. 63 % appartiennent aux 4 dernières strates, mais, en ce qui concerne les parents, aux 3 dernières : 1 seul marchand, ami, 8 maîtres de métier, 3 parents, 5 amis, 1 sans qualité, parent. Les amis comptent encore 2 officiers (14 %).

Le métier est à placer haut dans la hiérarchie des métiers, à cause de la situation des « maîtres ». L'environnement suit bien la hiérarchie descendante des VIIe, VIIIe et IXe strates.

7. Les métiers de la parure comptent 15 cas répartis dans les trois dernières strates, 8 maîtres, 2 compagnons, 5 sans qualité. Il s'agit de passementiers, passementiers-boutonniers, frangiers, lapidaires et tailleurs de jais.

Les 8 maîtres de la VIIe strate, ont 57 témoins, 41 parents, 16 amis, en moyenne 7 témoins par mariage. 25 témoins ont le même métier que l'époux, 32 la même qualité. 70 % des témoins appartiennent à la VIe et à la VIIe strates, 7 marchands, 6 parents, 1 ami, 32 maîtres de métier, 24 parents, 8 amis. Il y a un seul sans qualité, parent. Ancien compagnon. 19 % des témoins appartiennent au monde des honorable homme, marchand ou bourgeois de Paris, 10, 8 parents, 2 amis (Ve strate). Enfin, il y a 4 maître (avant-nom) de la IVe strate, 2 parents, 2 amis, et un ami des menus offices de la maison de la reine, qui n'est sans doute qu'un marchand. Les parents ouvrent l'éventail de la VIe à la VIIe strate.

Les compagnons n'étant que 2, nous les regroupons avec les 5 sans qualité. Ces 7 ont ensemble 16 témoins, 6 parents, 10 amis, soit une moyenne un peu supérieure à 2 par mariage, très inférieure à celle des maîtres. 82 % de leurs témoins sont compris dans la VIe, la VIIe et la IXe strates, 3 marchands, 1 parent, 2 amis ; 7 maîtres de métier, 2 parents, 5 amis, 3 sans qualité, 2 parents, 1 ami. Finalement il y a beaucoup moins de parents que d' « amis » dans la VIe et la VIIe strates, ce qui est significatif. 2 honorable homme, seulement, (Ve strate), 1 marchand parent, 2 bourgeois de Paris, amis. Le niveau de parenté est donc très réduit, et que sont les « amitiés » ?

8. Les métiers de l'outillage, couteliers, serruriers, épingliers, chaînetiers, balanciers, ne nous présentent que des maîtres et des compagnons. Les maîtres, fils de maîtres, sont 7. Ils ont 64 témoins, 30 parents, 34 amis, plus de 8 par mariage. 39 témoins ont le même métier que l'époux, 55 la même qualité que l'époux. 70 % des témoins appartiennent aux quatre dernières strates, mais 58 % à la VIIe, celle des maîtres de métier, qui sont 37, 18 parents, 19 amis. Ajoutons-y un laboureur, ami. Il n'y a pas de compagnon. Les sans qualité sont 4, 3 parents, un ami ; les marchands, 5, 3 parents, 2 amis. Les honorable homme, de la Ve strate, sont 13 (20 %), 4 parents, 9 amis. Il y a 2 maître (avant-nom) (IVe strate), un parent, un ami, un officier, conseiller du roi, ami, probablement de la IIIe strate, un écuyer, sieur de, ami (IIe strate), 3 petits officiers royaux, 2 parents, un ami. L'environnement social va donc de la IXe à IVe strate, mais avec une nette prédominance de la VIIe strate.

Les maîtres des métiers de l'outillage, fils de sans qualité ou de père non mentionné, sont 8. Ils ont 53 témoins, 21 parents, 32 amis, près de 7 par mariage. 83 % des témoins appartiennent aux VIe, VIIe et IXe strates. Les sans qualité sont 10, 6 parents, 4 amis, 19 % ; les maîtres de métier, 24, 10 parents, 14 amis, 45 % ; les marchands, 10, 4 parents, 6 amis, 19 %. Les honorable homme (Ve strate) sont 6, 12 %, tous amis. Il y a un officier royal, conseiller du roi, ami, et un écuyer, ami (IIIe et IIe strates). L'environnement social réel est donc réduit aux dernières strates avec une prédominance de la même strate sociale que nos époux, la VIIe, celle des maîtres de métier.

Les compagnons des métiers de l'outillage (VIIIe strate) sont 4, fils d'un marchand et de 3 maîtres. Ils ont 14 témoins, 8 parents, 6 amis, 3,5 par mariage. 86 % des témoins appartiennent aux VIe, VIIe et IXe strates. Il n'y a pas un compagnon. Les sans qualité sont 4, 3 parents, 1 ami ; les maîtres de métier, 5, 3 parents, 2 amis ; les marchands, 3, 1 parent, 2 amis. Il y a 2 honorable homme, 1 parent, 1 ami. L'éventail s'ouvre jusqu'à la Ve strate, pour ces fils de marchands ou de maîtres, tandis qu'il ne dépassait pas en fait la VIe pour les maîtres, fils de sans qualité.

9. Les métiers des transports comprennent tout ce qui concerne la fabrication des moyens de transport, équipement du cheval, charrettes, carrosses, les charpenteurs d'arçons de selle, selliers, maréchaux, charrons, d'une part, d'autre part, l'emploi des moyens de transport, cochers, voituriers, messagers.

Les maîtres (VIIe strate) ne se trouvent que dans la fabrication. Ils sont tous fils de maîtres, ils nous fournissent 8 cas : 3 selliers, 2 maréchaux, 3 charrons. Ils ont 53 témoins, 35 parents, 18 amis, 11 dans le même métier, près de 7 témoins par mariage. 49 % seulement se trouvent dans les VIe, VIIe et IXe strates, mais 30 % dans la Ve et il y a des parents dans la IVe et la IIe. 5 sans qualité ont signé, 3 parents, 2 amis (9 %) ; 12 maîtres de métier, 9 parents, 3 amis (23 %) ; 9 marchands, 8 parents, 1 ami, 17 %. Les honorable homme de la Ve strate sont 15, 10 parents, 5 amis. 2 menus officiers de la maison du roi, 1 parent, 1 ami, sont de classement incertain, VIIe ou VIe strate. Il y a 3 maître (avant-nom), 2 parents, 1 ami (IVe strate) ; 3 noble homme, amis, IIIe strate ; 2 sieurs de, parents, au niveau inférieur de la IIe strate, 1 écuyer, sieur de, ami, au premier état de la IIe strate. Donc, par les parents, l'éventail s'ouvre de la IXe à la IIe strate. Ce sont des familles en pleine ascension avec déjà une bonne proportion au niveau des honorable homme. Comme pour tous les maîtres, fils de maîtres, nous sommes frappés par le grand nombre des parents parmi les témoins, le grand nombre des témoins caractéristique d'un relativement large réseau de relations sociales, la présence des parents au plus grand nombre des degrés de la hiérarchie sociale et près des degrés supérieurs donc le caractère de lignage des familles de maîtres, fils de maîtres.

Les sans qualité des transports sont également des fabricants, 9 sur 15, 1 sellier, 1 sellier lormier, 1 charpentier d'arçon de selle, 3 maréchaux, 3 charrons. Mais il s'y ajoute des conducteurs, 1 cocher, 4 voituriers, 1 messager. Les sans qualité ont 54 témoins dont 13 du même métier, 29 parents, 25 amis, 3,5 par mariage, beaucoup moins que les maîtres, fils de maîtres, comme toujours. 80 % de leurs témoins sont dans les VIe, VIIe et IXe strates, et 58 % dans les VIe et VIIe. Les sans qualité (IXe strate) sont 12, 10 parents, 2 amis (22 %), les maîtres de métier (VIIe strate), 24, 15 parents, 13 amis (51 %). Nous y avons inclus 4 laboureurs, 3 parents, 1 ami, que nous considérons comme les analogues des maîtres de métier. Il y a 4 marchands, 1 parent, 3 amis, et donc dès la VIe strate, le rapport parent-ami s'inverse. Dix témoins appartiennent à la Ve strate, celle des honorable homme, marchands et bourgeois de Paris, 2 parents, 8 amis, 18 %. Mais il y a 1 maître (avant-nom) parent, (IVe strate), et des amis, 1 noble homme (IIIe strate), 1 écuyer, sieur de (IIe strate),

2 prêtres. Il s'agit de gens arrivés récemment de la campagne, encore groupés dans les VIIIe et IX strates et dont les parents n'atteignent les VIe, V[e] et IVe strates que par des individualités.

10. Les métiers du bois sont dans notre échantillon surtout des métiers du mobilier, menuisiers, layettiers, coffretiers. Ils sont assez bien représentés pour que nous ayons pu tenter comme pour le vêtement, une différenciation, de valeur qualitative, et sans prétention statistique.

Les maîtres (VIIe strate), fils de marchands sont 6, 4 menuisiers, 2 layettiers. Ils ont 42 témoins, soit une moyenne de 7 par mariage, 28 parents, 14 amis. Trois témoins ont même qualité, même métier que l'époux, 15 même qualité, 3 même métier, 52 % des témoins appartiennent aux quatre dernières strates, mais 36 % à la VIIe strate des maîtres de métier, 9 parents, 6 amis ; 2 amis seulement sont dans la VIe strate des marchands (4 %). Il y a 1 compagnon parent, 4 sans qualité parents. Les honorable homme de la Ve strate sont 7 (15 %), 5 parents, 2 amis. Nous trouvons 7 menus officiers des maisons du roi et de la reine, 6 parents, 1 ami (16 %) qui probablement ne dépassent pas le niveau des maîtres de métier, ce qui porterait ceux-ci à 52 % et la proportion des quatre dernières strates à 68 %. Enfin la IVe, la IIIe et la IIe strates sont représentées par 7 témoins, 3 parents, 4 amis (16 %). Il y a 3 maîtres (avant-nom), un parent, 2 amis ; 3 noble homme dont 1 parent, 2 amis, et 1 écuyer, sieur de, parent. Les parents s'échelonnent donc de la IXe à la IIe strate incluse, les amis, de la VIIe à la IIIe. Nous avons affaire, avec les maîtres, fils de marchands, à des familles en ascension sociale.

Nous n'avons que 3 maîtres, fils de maîtres, 2 layettiers, un coffretier. Ils n'ont que 13 témoins, 4 en moyenne, 8 parents, 5 amis. 69 % appartiennent à la même VIIe strate, 5 parents, 4 amis. Un parent est sans qualité. Deux témoins appartiennent à la Ve strate des honorable homme, un parent, un ami. Un petit officier royal serait rattacher aux maîtres de métier. Accentué par l'absence de menuisier, nous retrouvons la descente d'environnement social des fils de marchands aux fils de maîtres.

Nous n'avons également que 3 maîtres, fils de sans qualité, cette fois 2 menuisiers et 1 layettier. Ils ont 10 témoins, 3 parents, 7 amis, 3 témoins par mariage. Nous retrouvons avec eux les mêmes caractères de diminution du nombre des témoins et de diminution de la proportion des parents. 7 de leurs témoins se placent dans les 4 dernières strates, mais 6 dans la VIe et la VIIe. Aucun compagnon n'y figure, un seul sans qualité, ami ; 4 maîtres de métier, 1 parent, 3 amis ; 2 marchands, amis ; 2 honorable homme marchand (V[e] strate), amis ; 1 maître (avant-nom) (IVe strate), ami. En somme, il y a un seul parent parmi les témoins, tous les autres sont amis, et nous retrouvons ici la tendance des fils de sans qualité à fuir le monde des sans qualité.

Les compagnons des métiers du bois (VIIIe strate) sont 5, 3 menuisiers, 2 tourneurs, tous fils de maîtres ou de leurs analogues, les laboureurs. Ils ont 25 témoins, 12 parents, 13 amis, 5 par mariage, ce qui souligne leur supériorité de fils de maître, par rapport aux maîtres, fils de sans qualité. Dix témoins ont le même métier que l'époux. 66 % des témoins appartiennent aux 4 dernières strates, mais 40 % aux maîtres de métier, 6 parents, 4 amis ; 8 % aux marchands, 2 parents ; 12 % aux compagnons, 2 parents, 1 ami ; et 1 parent est sans qualité. La Ve strate, les honorable homme, est représentée par 5 personnes, 2 parents bourgeois de Paris, peut-être des maîtres de métier retraités, 3 amis, dont 1 marchand bourgeois de Paris et 2 bourgeois de Paris (16 %). La IVe strate, les maître (avant-nom) compte 2 amis. Il y a un petit officier parent et un petit officier de la maison de la reine, ami, à classe probablement avec les maîtres de métier, au plus avec les marchands.

Les compagnons des métiers du bois, fils de compagnons ou de sans qualité, sont 4, 3 menuisiers, 1 tapissier. Ils ont 12 témoins, 7 parents, 5 amis, soit 3 par mariage. Ici encore ressort l'importance de la filiation, et le moindre environnement social de ceux qui sont issus de gens des deux dernières strates. 65 % des témoins appartiennent aux quatre dernières strates : 1 sans qualité, parent ; 2 compagnons, parents (16 %), 4 maîtres de métier, 2 parents, 2 amis, 33 % ; 1 marchand, parent. La Ve strate fournit 3 témoins (25 %), 3 honorable homme dont un parent maître de métier, et 2 amis, un maître de métier, un bourgeois de Paris. S'ils sont vraiment de la Ve strate, c'est bien juste. Enfin, il y a un écuyer, sieur de (IIe strate), « ami », un client sans doute.

Les sans qualité des métiers du bois sont 7, 4 menuisiers, 1 tourneur, 1 fabricant de fauteuils, 1 vannier, que nous aurions pu classer avec les jardiniers. Ils ont 33 témoins, 14 parents, 19 amis, soit près de 5 par mariage. 18 ont le même métier, 11 la même absence de qualité que l'époux. 84 % des témoins appartiennent aux 4 dernières strates, dont 75 % aux 3 dernières. Les sans qualité sont 33 %, 11, 4 parents, 7 amis. Les compagnons, 6 %, 2 parents. Les maîtres de métier, 36 %, 12, 6 parents, 6 amis. Les marchands, 9 %, 3, 2 parents, 1 ami. Il y a un honorable homme, marchand privilégié suivant la Cour, ami (V^e^ strate), 2 maître (avant-nom), amis (IVe strate), 2 menus officiers de la maison du roi, amis, 1 messire (Ire strate), ami. En fait, les parents montrent bien que l'environnement social est limité aux quatre dernières strates. Ici encore, se confirme que ce qui compte c'est le statut social, ou, si l'on veut, le statut dans le métier, plus que le métier lui-même.

11. Avec le bâtiment, nous arrivons à des métiers nettement inférieurs dans l'estime sociale. Nous n'avons aucun marchand, et il est remarquable que dans la VIIe strate, aucun maître ne soit fils de marchand, ni fils de maître, et que nos 3 maîtres, 1 maître maçon, 1 maître charpentier, 1 maître paveur, soient fils de sans qualité. Ils ont 10 témoins, 4 parents, 6 amis, en moyenne plus de 3 par mariage. 7 sont dans les quatre dernières strates, 5 parents, 2 amis, 2 sans qualité, parents, 1 compagnon, ami, 2 maîtres de métier, 1 parent, 1 ami, 2 marchands, parents. Un seul honorable homme, marchand (V^e^ strate) est ami, et de même un noble homme (IIIe strate) et un

étudiant. Par les parents, nos maîtres de métier du bâtiment, ne dépassent pas la VIe strate.

Les compagnons du bâtiment (VIIIe strate) sont 6, 4 maçons, 1 couvreur, et nous y rattachons un tailleur de pierres. Un seul est fils de marchand, les 5 autres sont fils de compagnon ou de sans qualité. Ils ont 28 témoins, 16 parents, 12 amis, plus de 4 par mariage. 69 % sont dans les 4 dernières strates. 9 sont des sans qualité, 7 parents, 2 amis (32 %) ; 3 sont des compagnons, 1 parent, 2 amis (11 %) ; 3 des maîtres de métier, 2 parents, 1 ami (11 %) ; 7 des marchands, 4 parents, 3 amis (25 %). Trois témoins (12 %) sont des honorable homme (Ve strate), 1 parent, 2 amis. En outre, nous trouvons 2 petits officiers, amis, et 1 maître (avant-nom), parent (IVe strate).

La IXe strate, les sans qualité, compte dans le bâtiment 24 cas : 8 maçons, 4 batteurs de plâtre, 1 charpentier, 1 couvreur de maison, auxquels nous adjoignons 1 terrassier, 7 tailleurs de pierre et 2 carriers. Ils ont ensemble 127 témoins, 65 parents, 62 amis, donc un peu plus de 5 par mariage. 56 témoins ont le même métier que les époux. 92 % des témoins sont dans les 4 dernières strates : 54 sont des sans qualité, 31 parents, 23 amis, 43 % ; 9 des compagnons, 4 parents, 5 amis, 7 % ; 38 des maîtres de métier (VIIe strate), 19 parents, 19 amis (30 %) ; 15 des marchands, 6 parents, 9 amis (12 %) et ici le rapport parents-amis s'inverse nettement. Deux menus officiers, parents, seraient à rattacher aux maîtres de métier. Il y a seulement 3 honorable homme (Ve strate) et encore amis. Mais nous trouvons 2 noble homme (IIIe strate) dont 1 parent, et donc une famille a commencé de pénétrer dans des offices royaux de quelque importance. Nous voyons encore deux parents, un commis, à rattacher ainsi à la VIIIe strate, un soldat, et, comme dernier ami, un capitaine. L'environnement social s'étend donc essentiellement sur les 4 dernières strates et surtout sur la IXe d'abord, la VIIIe ensuite. Les sans qualité du bâtiment présentent donc les caractères des sans qualité des autres métiers, mais à un degré encore plus bas.

Selon les critères indiqués au début de l'étude de nos quatre strates inférieures, nous arrivons au classement suivant des métiers, selon une hiérarchie descendante : vêtement, alimentation, librairie-imprimerie, cuir, santé, métaux précieux, parure, outillage, transports, bois, bâtiment. Mais il faut considérer que c'est seulement l'absence bien explicable de la qualité de « marchand » qui nous amène à descendre aussi bas les métiers de la santé et des métaux précieux, que tous les autres caractères nous porteraient à les mettre en tête et que notre hiérarchie deviendrait alors, santé, métaux précieux, vêtement, alimentation, librairie-imprimerie, cuir, parure, outillage, transports, bois, bâtiment.

CONCLUSION

Bien que nous ayons encore étudié de la même façon d'autres métiers, ceux du verre, ceux du textile, ceux des gens du bras, ceux de la terre, jardiniers, vignerons, laboureurs, nous pensons inutile de continuer cet exposé. Il s'en dégage, croyons-nous, les caractères suivants : il y a une coupure entre les gens des quatre strates supérieures, les messire, les écuyers, les noble homme, les maîtres (avant-nom), ou gens de loi et les quatre strates inférieures, où apparaît le travail manuel, celles des marchands, des maîtres de métier, des compagnons, des sans qualité. Les gens des quatre strates inférieures ne figurent jamais parmi les témoins de leurs mariages. Ils ne sont pas dignes. Par contre les membres des quatre strates supérieures condescendent parfois à figurer comme témoins dans les mariages des gens des strates inférieures, pour les honorer, soit comme parents, soit comme amis. Il y a comme une coupure de la société française dès qu'apparaît le travail manuel, et dès qu'apparaissent les activités qui n'ont que le gain pour but et qui ne sont pas relevées par le service du roi, la justice ou la science (en n'oubliant pas que la théologie, la philosophie, le droit et la médecine sont considérés comme les principales sciences). C'est seulement de leur initiative, par pure bienveillance et par devoir, que seules les strates supérieures peuvent franchir cette coupure des relations sociales.

Dans les quatre strates supérieures surtout, s'il y a des relations entre les strates, il semble bien par le nombre, la qualité, et les parentés des témoins, que les relations sociales s'effectuent surtout dans la strate sociale des époux et de leurs parents, s'il n'y a pas mobilité sociale ascendante de l'époux. A un moindre degré, c'est aussi un caractère des strates inférieures. Les strates sociales apparaissent comme beaucoup plus nettement séparées les unes des autres que dans la société française du XXe siècle, et même, pour les quatre strates supérieures, relativement isolées les unes des autres. C'est le temps du mépris des supérieurs pour les inférieurs relatifs. Sans les fidélités verticales, on se demande bien comment cet obstacle aurait pu être surmonté et comment cette société aurait pu fonctionner (1).

Les gens des cinq strates inférieures recherchent des témoins parmi les gens des strates supérieures. Ils en prennent plus largement dans les cinq strates inférieures. Mais l'on constate un effort pour éliminer le plus possible les gens des strates les plus basses, les compagnons (VIIIe strate) et surtout les sans qualité (IXe strate). Le mépris existe aussi dans les strates inférieures. Toutefois, elles semblent plus ouvertes, et la plupart du temps, les cinq dernières strates sont, l'un dans l'autre, bien représentées parmi les témoins.

---

(1) Roland Mousnier, *Les concepts d'Ordre, d'Etat, de monarchie absolue, de fidélité, dans la France des XVIe, XVIIe, XVIIIe siècles*, « Revue historique », octobre-décembre 1972.

Nous avons pu proposer un ehiérarchie des métiers. Mais ce qui semble plus caractéristique c'est la constatation de l'importance de la qualité, c'est-à-dire du statut professionnel, en principe du rôle dans le procès de production, dans chaque groupe de métiers. En général, lorsque l'on descend dans un groupe quelconque de métiers, du marchand au maître de métier, du maître de métier au compagnon, du compagnon au sans qualité, l'on voit diminuer le nombre des témoins, c'est-à-dire l'étendue des relations sociales, comme si en descendant cette hiérarchie, la société se fragmentait en groupes de plus en plus restreints. D'ailleurs, dans toutes les strates inférieures, le nombre des témoins est en moyenne inférieur à celui des quatre strates supérieures, et ce rétrécissement progressif, cette fragmentation croissante, est donc, en moyenne, un caractère de l'ensemble de la hiérarchie sociale.

Mais le même phénomène s'observe dans chacune des strates inférieures si nous classons les gens selon leur filiation, marchands, fils de marchands, marchands, fils de maîtres de métier, marchands, fils de sans qualité ; maîtres de métier, fils de marchands ; maîtres de métiers, fils de maîtres de métier ; maîtres de métier, fils de sans qualité. En général, dans chaque strate, dans chaque statut professionnel, au fur et à mesure que le degré social de l'ascendant diminue, le nombre des témoins diminue, et aussi, peu à peu, la proportion du nombre des parents au nombre des amis se réduit et finit par s'inverser. Autrement dit, le statut social ne dépend pas seulement du statut professionnel mais aussi de la filiation, et le statut social est d'autant plus élevé dans un statut professionnel donné que l'on se rapproche davantage d'un lignage constitué. Le lignage, cette forme de famille, si caractéristique des strates supérieures, était au moins l'ambition des strates inférieures, comme le montre bien, dans chaque groupe de métiers, l'importance relative des maîtres, fils de maîtres.

La tendance au lignage est montrée aussi à l'évidence par le nombre des parents dans les différentes strates sociales. Au fur et à mesure que le lignage s'élève, le nombre des parents diminue dans la IXe et la VIIIe strates (sans qualité, compagnons) puis il finit par en disparaître, et il diminue progressivement dans la VIIe strate (maîtres de métier). Corrélativement, des parents s'insinuent dans la IVe strate (maîtres [avant-nom], gens de loi), dans la IIIe (noble homme, officiers du roi) puis dans la IIe (écuyers, sieur de, écuyers, simples sieur de), et leur nombre s'accroît dans la VIe (marchands) dans la V (honorable homme, marchand ou bourgeois de Paris), puis dans la IVe. La strate vraiment décisive pour l'ascension sociale du lignage, c'est la IVe, celle des procureurs, des notaires, des avocats, où le service de la justice provoque un premier décrassage social important, inégal d'ailleurs, car être procureur déroge encore à noblesse tandis que la profession d'avocat ne déroge pas. Ainsi c'est par cette forme de famille, le lignage, que s'opère l'ascension sociale.

CHAPITRE IV

LES FORTUNES

Sur la fortune notre documentation nous permet une approche partielle. Par les contrats de mariage, nous pouvons nous figurer la fortune des deux époux à l'entrée en ménage et établir une échelle relative. Par les inventaires après décès des époux, nous obtenons une image de la fortune du couple à la dissolution de la communauté.

I. — La fortune au mariage

Le point de départ est la dot, presque toujours indiquée au contrat. L'apport de l'époux n'est précisé que dans 28 % des cas. Mais l'on constate alors que les parties cherchaient le plus souvent à équilibrer les apports du marié et ceux de la mariée. On le constate aussi en partant du douaire de la mariée, ce qu'elle doit recevoir, en cas de prédécès de l'époux. Le douaire est le plus souvent égal à la moitié, parfois au tiers de l'apport de l'époux. Il y a exception en cas d'écart social notable entre les époux, comme lorsqu'un membre de la haute noblesse épouse une fille de roturier, noble homme titulaire d'un office de cour, encore mieux une fille d'avocat ou de « financier ». La dot dans ce cas peut être plus élevée que l'apport de l'époux, mais ce n'est pas forcé, car l'époux peut être riche de fiefs et de seigneuries et avoir recherché de l'argent liquide ou des rentes négociables. Il est donc possible de se faire une idée de la fortune au mariage.

Il est également possible d'établir une échelle relative des dots, une échelle relative des fortunes, et de comparer les strates sociales entre elles à ce point de vue. Mais il faut toujours avoir présent à l'esprit que les résultats ne peuvent être qu'approchés. En effet, de deux ménages de fortune équivalente l'une peut donner des dots fort inférieures à celles données par l'autre, si le premier a beaucoup de filles à marier, de filles qui refusent de devenir religieuses pour laisser au père le moyen de mieux doter les autres. De deux tels ménages, l'un peut donner des dots moins élevées, s'il peut faire tabler davantage sur les « espérances », ce qui semble avoir été assez habituel chez les marchands, et abaisse leur rang dans une échelle de dots, au-dessous des fortunes réelles dans la catégorie. De deux dots de montant équivalent, l'une peut-être fort supérieure à l'autre, si elle se compose d'une plus grande quantité de « capitaux fluides », argent liquide, rentes négociables, et l'autre une plus grande quantité de « capitaux visqueux », fiefs et seigneuries ; si l'une est composée presqu'entièrement de biens en communauté, dont l'époux peut disposer à sa guise, si l'autre comporte une grande quantité de biens propres à l'épouse, qui doivent revenir à « son côté et ligne », en cas de décès sans enfants, ou passer à ses enfants à son décès, biens dont l'époux dans tous les cas n'a que l'usufruit et qu'il ne peut aliéner qu'avec le consentement de l'épouse et à condition de remployer les derniers en immeubles et de rapporter ceux-ci à la succession. La composition de la dot a donc une grande importance.

La Coutume de Paris ne contient pas d'article sur la dot. Cependant « en pays coutumier, on regarde la dot comme une dette naturelle des pères et des mères, mais les enfants n'y ont pas d'action pour se faire doter », contrairement à ce qui se passe dans les pays de droit écrit. Il y a, dans les pays coutumiers, une obligation morale de doter, conséquence « de celle que la nature impose aux pères et aux mères de nourrir leurs enfants et de pourvoir à leur subsistance. Car l'établissement par mariage est le moyen le plus propre à assurer la subsistance d'une fille ». La dot doit être proportionnée aux facultés des parents (1).

Dans nos contrats de mariage, le montant de la dot est chiffré dans 80 % des cas. Dans 75 % de ceux où elle est chiffrée, les dots sont inférieures à 1 000 livres tournois et supérieures à 100 livres. Dans 25 % des cas, elle dépassent 1 000 livres. Il se dégage de l'examen des dots une série de paliers et de fréquence dans ces paliers.

1	à	100	livres	:	5 %.
101	à	200	livres	:	13,5 %.
201	à	300	livres	:	14 %.
301	à	400	livres	:	9 %.
401	à	500	livres	:	8 %.
501	à	800	livres	:	15 %.
801	à	1 000	livres	:	7 %.
1 001	à	2 000	livres	:	12 %.
2 001	à	3 000	livres	:	4,5 %.
3 001	à	5 000	livres	:	5 %.
5 001	à	10 000	livres	:	3 %.
10 001	à	20 000	livres	:	1,8 %.
20 001	à	50 000	livres	:	0,9 %.
50 001	à	100 000	livres	:	1,1 %.
plus de		100 000	livres	:	1,04 %.

Nous nous sommes placés à deux points de vue :

1. Etant donné l'échelle des dots, quelles sont les strates sociales que l'on rencontre aux différents niveaux ?

2. Etant donné la stratification sociale, quelles sont les dots constatées dans chaque strate ?

(1) Guyot, *Répertoire de jurisprudence.*

1. COMPOSITION SOCIALE A CHAQUE NIVEAU DE DOT.

1. 100 001 livres et plus, 8 dots. Elles sont l'apanage des « haut et puissant seigneur, messire chevalier, marquis », des « messire, chevalier, seigneur de » (Ire strate, 1re état, 2e état) et proviennent des milieux de la robe (conseiller au Conseil du roi, garde des Sceaux de France, secrétaire des Commandements de Sa Majesté) ou de la maison du roi (premier garde-robe du roi). La plus haute dot, 300 000 livres est donnée à un « haut et puissant seigneur, messire, chevalier, baron », par un « noble homme, conseiller, notaire et secrétaire du roi, maison et couronne de France ». Les dots sont avant tout en rentes et en deniers comptant. Il s'y joint dans un cas une seigneurie, dans un autre un office.

2. De 50 001 à 100 000 livres, 9 dots. Nous trouvons 4 « monsieur maître » (Cours souveraines, Ire strate, 3e état), 3 « noble homme, conseiller du roi » (offices d'auditeur en la Chambre des Comptes, de trésorier de France, de contrôleur général de l'artillerie) (IIIe strate, 1re et 2e états), un écuyer (IIe strate, 3e état) qui reçoit une dot de 80 000 livres d'un avocat au Conseil privé. Les dots proviennent de valet de chambre du roi, d'un auditeur à la Chambre des Comptes, de trésoriers, d'un échevin de Paris, d'un orfèvre valet de chambre du roi, d'un président du Parlement de Metz, d'un élu à Vendôme. Les dots sont en rentes et deniers comptants. Dans trois cas s'y joint une maison, dans un cas un office.

3. De 20 001 à 50 000 livres, 7 dots. Apparaît un marchand bourgeois de Paris (Ve strate) qui reçoit la plus haute de ces dots 36 000 livres, d'un marchand orfèvre. Les autres sont : un maître, conseiller du roi, général des finances (Ire strate, 3e niveau), 2 « noble homme, conseiller du roi », officiers de finance, un « noble homme, secrétaire du roi » (IIIe strate), un maître (avant-nom), procureur au Parlement (IVe strate, 1er niveau). Les dots proviennent de « noble homme », officiers de la maison du roi (chef de gobelet et premier sommier ordinaire du roi, secrétaire du roi), valet de chambre du roi (IIIe strate), de « maître » (avant-nom), procureur à la Chambre des Comptes et au Parlement (IVe strate), d'un marchand orfèvre, bourgeois de Paris (VIe strate). Les dots sont avant tout en rentes et deniers comptants.

4. De 10 001 à 20 000 livres, 14 dots. Ici apparaissent les « écuyers seigneur de » et les « écuyers » (6) soit sans profession, soit titulaires d'offices de la maison du roi, gouverneur des pages de la chambre du roi, conseiller, notaire et secrétaire du roi, maison et couronne de France, hommes d'armes de la compagnie du roi (IIe strate, 1er et 3e états). Les dots viennent de « noble homme », titulaires d'offices de finances de la maison du roi (contrôleur ordinaire, contrôleur des Ligues suisses et grisons, conseiller notaire et secrétaire du roi, maison et couronne de France), d'un noble homme, marchand, bourgeois de Paris (IIIe strate, 2e et 5e états), d'un bourgeois de Paris. Les dots sont avant tout en rentes et deniers comptants. Il apparaît deux fois des

maisons, une fois des terres, une fois 2 000 livres de nourriture, quatre fois des meubles, du linge, des habits, des bijoux, pour des sommes inférieures à 1 000 livres.

5. De 5 001 à 10 000 livres, 24 dots. Sont encore représentés, la IIe strate (un écuyer, sieur de, 2 « écuyer », un simple « sieur de », tous sans profession), la IIIe strate (5 « noble homme, contrôleur général des droits sur le vin, commissaire ordinaire des guerres, docteur régent en médecine de la Faculté de Paris, avocat au Parlement de Rouen), la IVe avec quatre « maître » (avant-nom), 2 procureurs au Châtelet, un commis général aux Aides, mais la Ve, celle des « honorable homme », marchand, bourgeois de Paris, apothicaire-épicier, fripier, frangier, etc., domine avec 11 cas. Les deniers comptants l'emportent toujours, avec des trousseaux, parfois avec des rentes.

6. 3 001 à 5 000 livres, 40 dots. Il y a encore 2 « écuyers, sieur de » sans profession et un « écuyer », mousquetaire à cheval, archer des gardes écossaises, un « sieur de », valet de chambre de la reine (IIe strate), un « noble homme », conseiller du roi, contrôleur provincial de l'extraordinaire des guerres (IIIe strate), nous trouvons 3 « maître » (avant-nom), huissier ou procureurs au Châtelet (IVe strate), mais ce sont maintenant les « états » commerciaux qui dominent : 10 « honorable homme, marchand, bourgeois de Paris » (Ve strate), 2 « marchands » (VIe strate) ; les maîtres de métier apparaissent, 4 maîtres barbiers chirurgiens, potier d'étain, pâtissier, enfin il y a même un compagnon fripier, dont l'épouse, fille d'un marchand fripier, lui apporte 3 600 livres (VIIe strate). Les deniers comptants l'emportent, avec meubles, bijoux, linge, hardes.

7. 2 001 à 3 000 livres, 34 dots. Il y a encore un maître (avant-nom), simple clerc, fils de marchand, qui épouse la fille d'un sergent à verge au Châtelet (IVe strate, « état » inférieur). Mais ce sont les différentes strates de commerce et des maîtres de métier qui l'emportent désormais : 10 « honorable homme, marchand, bourgeois de Paris » (Ve strate), 7 « marchand » bonnetier, de soie, teinturier, épicier, marchand de vin, 4 maîtres de métier, tailleur d'habits, orfèvre, maréchal, juré courtier de chevaux (Ve strate). Un fait marquant est l'apparition des « sans qualité », 9 cocher, maître d'hôtel (2), le concierge du Cardinal de Richelieu, un épicier, un domestique, etc., surtout des gens de service. Les deniers comptants l'emportent avec meubles et trousseaux.

8. De 1 001 à 2 000 livres, 91 dots. Il y a un « sieur de » (IIe strate, 7e état), deux maîtres avant-nom, un secrétaire ordinaire de chambre du roi et un simple solliciteur des affaires et créances de la reine, au niveau inférieur de la IVe strate.

Ici aussi, nous trouvons surtout des gens des professions commerciales et des métiers : 16 « honorable homme, marchand, bourgeois de Paris », « honorable marchand », « honorable mercier » (Ve strate) mais 2 « honorable chevau-léger », « honorable archer et garde des corps » ; 32 « marchand », mercier, quincaillier, pelletier, bonnetier, drapier chaussetier, pourvoyeur, tailleur, fourbisseur, pâtissier, boulanger, messager, fripier (VIe strate) ; 20 maîtres de métier, orfèvres, passementier-boutonnier, miroitiers, charron, barbier, vitrier, chapelier, pâtissier, teinturier, bourrelier, menuisier, chandelier, maréchal (VIIe strate) ; 2 compagnons, un fripier (dot 1 800 livres), un tapissier (dot 1 800 livres) pour tous deux, de père inconnu (VIIIe strate). Enfin nous avons 14 « sans qualité », officier de la reine mère, élu en l'élection de, archer des gardes du corps, marchand, maître d'hôtel, mais surtout gens de métier, cordonniers, laboureur, tailleurs d'habits, tissutiers rubaniers, gagne-deniers maçon, ces derniers au nombre de 9 (IXe strate). Les deniers comptants l'emportent avec meubles et trousseaux.

9. De 801 à 1 000 livres, 55 dots. A ce niveau se trouvent avec une dot de 1 000 livres, un écuyer, capitaine d'une compagnie d'infanterie, pour la fille d'un écuyer, sieur de (IIe strate, 1er niveau), un maître (avant-nom), contrôleur ordinaire des guerres, pour la fille d'un honorable homme, bourgeois de Paris, un maître (avant-nom), avocat au Parlement, pour la fille d'un commissaire des vivres, un maître greffier tabellion, fils de charpentier, pour la fille d'un maître tailleur d'habits (IVe strate, 1er et 2e niveaux), un huissier, sergent à cheval au Châtelet, pour la fille d'un sergent à verge au Châtelet, un archer du prévôt de l'Ile-de-France, pour une maîtresse toilière (VIIe strate).

Il n'y a que trois « honorable homme », l'un bourgeois de Paris, maître boursier, un autre marchand épicier, le troisième, marchand (Ve strate).

Mais les marchands sont 22 : marchands de vin (14), marchands fripiers (3), merciers (2), épicier, bonnetier, laboureur (VIe strate). Quinze maîtres de métier figurent : peintre, paulmier, pâtissier, chandelier, rôtisseur, chapelier, tailleur, passementier-boutonnier, armoirier, aiguilletier, serrurier, sellier-lormier, cordonniers (2). L'on peut y joindre un chirurgien, fils de marchand, qui épouse la fille d'un tailleur d'habits. Il faudrait y rattacher sept domestiques : sommelier, valet de pied, cocher, valet de chambre, suisse, lavandier, garde de M. le Duc. Un seul compagnon pâtissier, fils de laboureur, qui épouse la fille d'un honorable homme, maître pâtissier (900 livres) représente la VIIIe strate. Enfin, il y a des « sans qualité » charcutier, tailleur d'habits (3), barbier étuviste, etc. (IXe strate). Les dots sont en deniers comptants, bijoux, vêtements et meubles.

10. De 501 à 800 livres, 122 dots. Restent seulement trois « honorable homme » marchand, et pour deux d'entre eux bourgeois de Paris (Ve strate) ; joignons-y 3 bourgeois de Paris, sans profession qui épousent des filles d'honorable homme, marchand. Nous avons une série de marchands (13), carreleur privilégié suivant la Cour, mercier quincaillier, orfèvre, marchand de fer, marchands de vin, vinaigrier, marchand de chevaux, verrier, fripiers (VIe strate). Mais le grand nombre, à ce niveau, est composé de maîtres de métier, de compagnons, d'ouvriers divers, et d'officiers ministériels équivalents aux maîtres de métier.

Les officiers sont un huissier du roi à la table de marbre, un maître huissier audiencier de bailliage, un huissier sergent à cheval au

Châtelet de Paris, qui épousent tous des filles de maîtres de métier, coffretier-malletier, cordonnier, fourbisseur d'épée. Les maîtres de métier (VIIe strate) sont au nombre de 45, de toutes les catégories de métiers, écrivain et écrivain juré, cordonnier, corroyeur baudroyeur, bourrelier, gaînier, vitrier, patenotrier, d'émail ; balancier, serrurier, coutelier, taillandier, chaudronnier, arquebusier, fourbisseur d'épées ; ceinturier, tailleur d'habits, tissutier rubanier, passementier boutonnier ; lapidaire, peigner tabletier ; paulmier, joueur d'instruments ; menuisier, sellier-lormier, charron, layettier, escrenier, jardinier ; charcutier, rôtisseur, chandelier, vinaigrier, etc.

Dans la VIIIe strate, figurent dix compagnons : un compagnon orfèvre, fils d'un archer des gardes écossaises du roi, marié à la fille d'un maître orfèvre, bourgeois de Paris, trois cordonniers, un corroyeur, un savetier, un boulanger, un rôtisseur, un aiguilletier, un maçon. Les dots proviennent de maîtres du même métier, pour le boulanger, d'un charcutier, pour le maçon, d'une servante. La IXe strate celle des « sans qualité » est représentée par 21 époux, tailleurs d'habits (8), ceinturier, menuisier, jardinier (2), laboureur, serviteur (3), cordonnier, graveur en taille douce, vitrier, gagne-deniers (2), maçon.

Les dots proviennent parfois de maîtres (3), mais le plus souvent de « sans qualité » comme eux : vigneron, gagne-deniers, tailleur d'habits, teinturier-rubanier, bourrelier, pâtissier, tanneur.

Les dots sont en deniers comptants. Il s'y ajoute des vêtements, des meubles, des bijoux, parfois des marchandises, ou une maîtrise.

11. De 401 à 500 livres, 60 dots. A ce niveau, il y a encore « quelques marchands » (12), que lo'n doit pouvoir rattacher à la VIe strate ; marchands de vin (4), marchand fripier, marchand fruitier, marchand mercier, marchand apothicaire, marchand boulanger, « marchands » tout court (3). Les maîtres de métier sont 19 : pâtissier, savetiers (3), cordonnier, tailleurs d'habits (2), teinturier, frangier, miroitier, miroitier lunetier, fondeur, serruriers (2), maçon, layettier, jardinier (VIIe strate). Il y a 10 compagnons : rôtisseur, savetier, tailleurs d'habits (3), tissutier rubanier, tailleur de pierre, maréchal, tourneur, jardinier (VIIIe strate). Les « sans qualité » sont 12 : boulanger, tailleurs d'habits (3), tissutier rubanier, barbier étuviste (2), valet de chambre, cuisinier, écuyer de cuisine, garde des bois du couvent, chargeur, déchargeur de marchandises (IXe strate). Les dots sont en deniers comptants, souvent avec meubles, vêtements, bijoux, parfois avec terres labourables ou terre produisant des asperges dans le cas de jardiniers.

12. De 301 à 400 livres : nous rencontrons 69 contrats. Cette fois-ci il n'y a plus que quatre marchands : marchands de vin, marchand boulanger, marchand libraire et un « marchand » et des équivalents : maître d'hôtel, chirurgien (VIe strate). Les maîtres de métier sont 24 : pâtissier, vinaigrier, cuisinier, coffretier, malletier, cordonnier, serrurier, épinglier, chaînetier, charpentier, pourpointier, tondeur de draps, teinturier, tissutier-rubanier, potier d'étain, imprimeur, sellier-lormier, layettier, doreur sur fer (VIIe strate), verrier, bâtier.

Les compagnons sont 14 : brasseur, cordonnier (2), savetier (2), aiguilletier, maçon (2), menuisier, cordier, patenôtrier, tonnelier (2), sellier-lormier (VIIIe strate). Le nombre des « sans qualité » augmente. Ils sont 19 : rôtisseur, fruitier, vannier, tapissier, tailleurs d'habits (2), fripier, ouvrier en draps, tissutier rubanier, passementier, lavandier, valet de chambre, cocher, voiturier par terre, « travaillant en vaisselle d'argent », soldat au régiment des gardes du roi, jardinier, vigneron (IXe strate). Les dots sont en deniers comptants, accompagnés de meubles, vêtements, parfois de bijoux, exceptionnellement une maison, des rentes, la nourriture et le logement.

13. De 201 à 300 livres, les dots sont au nombre de 97. A ce niveau, il ne reste que 5 marchands, un marchand verrier, un marchand fruitier, un marchand hôtelier, fils de voiturier par eau, et deux « marchands », respectivement fils d'un armurier et d'un tisserand en toiles. Les maîtres de métier sont 21, dont les tissutiers rubaniers, 3 savetiers, un tondeur, des tanneurs, des layettiers, des paveurs, des doreurs. Nous trouvons 16 compagnons, tissutier, tondeur de draps, pâtissier, boulanger, rôtisseur (4), savetier (3), tailleur d'habits (3), doreur sur cuir. Les sans qualité sont 52, tissutier rubanier, passementier boutonnier, joueur d'instrument, pâtissier cuisinier, boucher, tonnelier, soldat au régiment des gardes, clerc suivant les finances (fils de maître corroyeur, gendre de maître corroyeur), trois sans profession dont un honorable homme et un bourgeois de Paris, savetier, tailleur d'habits (8), racousteur de bas, charpentier d'arçon de selle de chevaux, fils de laboureur, dix domestiques (cocher, portier, homme de chambre, domestique), trois serviteurs, des horlogers, maçons, tailleurs de pierre, manouvriers, gagne-deniers. Les dots sont en deniers comptants ; vêtements, bijoux, meubles.

14. De 101 à 200 livres. Nous trouvons 103 dots. Il y a 4 marchands : 1 marchand de vin, 1 marchand de fromage, 2 « marchands ». Nous en approchons un facteur de marchand. Les maîtres de métier sont 23 : cordonnier (2), savetier (6), fourbisseur potier, potier de terre, parcheminier, rôtisseur, maître d'école, verrier, fondeur, chapelier, pourpointier, tailleur, tisserand, taillandier, épinglier. 19 compagnons figurent : savetier (2), cordonnier, potier de terre, tonnelier, rôtisseur, menuisier (5), orfèvre, tailleur, tissutier (3), couverturier, tisserand, maçon. Enfin viennent 53 sans qualité : pousseur de cuir, savetier (3), vigneron tonnelier, voiturier par eau, voiturier par terre, tailleur de jais, enlumineur, cuisinier (3), boulanger (2), graveur, faiseur d'orgues, menuisier (2), tourneur sur bois, domestiques (lavandier, postillon, cocher), manouvrier (2), gagne-deniers (10), ouvrier en bagues de cuivre, tailleurs d'habits (5), passementier-boutonnier, tissutier-rubanier, maçon, maquetier en plâtre, batteur de plâtre, tailleur de pierre (4), couvreur de maisons, terrassier. Les dots sont en deniers comptants, meubles, vêtements. Dans 11 cas il s'y ajoute des bijoux.

15. Au-dessous de 100 livres : nous ne trouvons plus que 38 dots. Il y a encore un « marchand », fils de manouvrier, et 4 de ces marchands de l'alimentation, qui sont à peine au niveau des maîtres de

métier : marchand de vin, marchand fruitier (3). Quatre maîtres de métier sont là : tailleur savetier (2), serrurier. Sept compagnons : rôtisseur, tailleur, cordonnier, savetier, tissutier (2), passementier. Les sans qualité sont 15 : gagne-deniers (6), racousteur de bas de soie, maçon (2), carrier, maréchal, vigneron (2), cocher, valet de chambre. Mais, en outre, apparaissent ici un tailleur d'habits suivant la Cour, qui prend la fille d'un tisserand, un palefrenier de la grande écurie du roi, qui épouse celle d'un tailleur d'habits, et un « mendiant » qui se marie à la fille d'un cabaretier. Les dots sont en deniers comptants, meubles et vêtements. Dans un seul cas, le mariage d'un marchand fruitier, il y a des bijoux, mais la profession du beau-père est inconnue.

2. L'éventail des dots par strate sociale et « états ».

1. La strate supérieure des « barons », « messire », « chevalier seigneur de », messire, seigneur de ». Son premier état, celui de la haute noblesse titrée et son 2e état, celui de la bonne gentilhommerie, jouissent de dots supérieures à 100 000 livres (1er niveau), son 3e état, celui de la noblesse de fonctions, maîtres des requêtes, magistrats des Cours souveraines, reçoit les dots de 50 à 100 000 livres (2e tranche), et dans un cas une dot de 36 000 livres (3e tranche de 20 à 50 000 livres), la moindre de tout l'état.

2. Dans la seconde strate, celle des « écuyers, seigneurs de », des « écuyers », des « sieurs de », un écuyer de 3e état (sans seigneurie, ni service du roi) reçoit une dot de 80 000 livres, d'un avocat au Conseil privé. Mais le plus grand nombre de cette strate, 6, du 1er état (écuyers, seigneurs de, au service du roi) et du 3e, se placent dans la 4e tranche de 10 000 à 20 000 livres. Trois, du 2e et du 3e états, sont dans la 5e tranche de 5 000 à 10 000 livres. Quatre, trois du 1er, un du 7e (simple « sieur de ») sont dans la 6e tranche de 3 000 à 5 000 livres. Enfin, un écuyer, capitaine d'une compagnie d'infanterie, prend place dans la 8e tranche, 801 à 1 000 livres. Par conséquent, la seconde strate sociale correspond aux 4e, 5e et 6e niveaux des dots, entre 3 000 et 20 000 livres.

3. Parmi les « noble homme » et les « conseillers du roi » (IIIe strate), 3, du 1er état (auditeur aux Comptes) et du 2e (trésoriers de France, grand officier de finance), atteignent le 2e niveau des dots, 50 001 à 100 000 livres ; 3, du 2e état, le 3e niveau des dots, 20 001 à 50 000 livres ; 5, du 3e état (officiers de finance), du 4e (avocats et médecins) se rencontrent au 5e niveau, de 5 001 à 10 000 livres. Un, du 3e état, est au 6e niveau, 3 001 à 5 000 livres.

Par conséquent, la IIIe strate se partage en deux catégories nettes : son 1er et son 2e états atteignent les 2e et 3e niveaux (20 001 à 100 000 livres) ; son 3e et son 4e états, les 5e et 6e niveaux (3 001 à 10 000 livres).

4. La IVe strate, les « maîtres » (avant-nom), hommes de loi, nous présente au 3e niveau (20 001-50 000 livres) un procureur au Parlement du 1er état, au 5e niveau (5 001-10 000 livres) 2 procureurs au Châtelet, un commis de greffe du Châtelet, un commis général aux Aides, ces derniers dans le 2e état, au 6e niveau (3 001-5 000 livres), un huissier au

Châtelet, 2 procureurs au Châtelet ; au 7e niveau (2 001-3 000 livres), un clerc, du 2e état ; au 8e niveau (1 001 à 2 000 livres), un solliciteur des affaires de la reine, du 2e état, vers le bas ; au 9e niveau (801 à 1 000 livres) un avocat au Parlement et un maître greffier tabellion. Donc le premier état s'échelonne du 3e au 9e niveau, le second du 5e au 9e niveau, mais les 5e et 6e niveaux de la dot semblent caractériser la strate.

5. Dans la Ve strate, celle des « honorable homme », négociants et dirigeants d'entreprise, nous trouvons au 3e niveau (20 001 à 50 000 livres) un « marchand, bourgeois de Paris », qui reçoit la plus haute dot à ce niveau, 36 000 livres. Les « honorable homme » dominent au 5e niveau (5 001 à 10 000 livres) avec 11 dots sur 24. Ils sont 10 sur 40 au 6e niveau (3 001 à 5 000 livres), 10 sur 34 au 7e niveau (2 001 à 3 000 livres), 16 sur 91 au 8e niveau (1 001 à 2 000 livres), 3 sur 55 au 9e niveau (801 à 1 000 livres), 3 sur 122 au 10e niveau (501 à 800 livres). En somme, les gens de la Ve strate se trouvent surtout du 5e au 8e niveau, avec des dots de 1 001 à 10 000 livres.

6. La VIe strate des simples « marchands », ou maîtres de métier supérieurs, apparaît seulement au 6e niveau (3 001 à 5 000 livres), et avec seulement 2 dots sur 40. Ils sont 7 dots sur 34 au 7e niveau (2 001 à 3 000 livres), 32 sur 91 au 8e niveau (1001 à 2 000 livres), 13 sur 55 au 9e niveau (801 à 1 000 livres), 13 sur 122 de 501 à 800 livres au 10e niveau ; 12 sur 60 au 11e niveau (401 à 500 livres), 4 sur 69 au 12e niveau (301 à 400 livres), 5 sur 97 au 13e niveau (201 à 300 livres), 4 au 14e niveau (101 à 200 livres), un, d'ailleurs, fils de manouvrier, et de statut douteux, au 15e niveau, au-dessous de 100 livres. Donc, sur 92 dots reçues par des « marchands », 70 (77 %) se trouvent du 8e au 11e niveau (2 000 à 500 livres).

7. Dans la VIIe strate, celle des maîtres de métier, 4 maîtres, barbiers chirurgiens (2), potier d'étain, pâtissier, reçoivent des dots du 6e niveau (3 001 à 5 000 livres). Mais il y en a 20 au 8e niveau (1 001 à 2 000 livres), orfèvres, passementier-boutonnier, miroitiers, charron, barbier, vitrier, chapelier, pâtissier, teinturier, bourrelier, menuisier, chandelier, maréchal ; 15 au 9e niveau (801 à 1 000 livres), peintre, paulmier, pâtissier, chandelier, rôtisseur, chapelier, tailleur, passementier-boutonnier, armurier, aiguilletier, serrurier, sellier-lormier, cordonniers ; 45, de tous les métiers, au 10e niveau de 501 à 800 livres ; 19 au 11e niveau de 401 à 500 livres, pâtissier, savetiers (3), cordonnier, tailleurs d'habits (2), teinturier, frangier, miroitier, lunetier, fondeur, serrurier (2), maçon, layettier, jardinier ; 24 au 12e niveau (301 à 400 livres), 21 au 13e niveau (201 à 300 livres), 23 au 14e niveau (101 à 200 livres), 4 au 15e niveau (au-dessous de 100 livres). Sur 175 dots reçues par des maîtres de métier, 167 sont échelonnées du 8e au 14e niveau, de 100 à 2 000 livres. Mais le 10e niveau, de 501 à 800 livres, semble caractériser les maîtres de métier.

8. Dans la VIIIe strate, celle des « compagnons », un compagnon fripier atteint le 6e niveau (3 001 à 5 000 livres), avec une dot de 3 600 livres.

Deux compagnons sont au 8e niveau, de 1 001 à 2 000 livres, un fripier (1 880 livres), un tapissier (1 800 livres). Un seul, un pâtissier, est au 9e niveau (801 à 1 000 livres). 10 apparaissent au 10e niveau (501 à 800 livres), orfèvres, cordonniers (3), corroyeurs, savetier, boulanger, rôtisseur, aiguilletier, maçon. 10 encore sont au 11e niveau (401 à 500 livres) ; 14 au 12e niveau (301 à 400 livres) ; 16 au 13e niveau (201 à 300 livres) ; 19 au 14e niveau (101 à 200 livres) ; 7 au 15e niveau (au-dessous de 100 livres). Par conséquent le nombre de compagnons augmente au fur et à mesure que l'on descend l'échelle des dots, si l'on excepte le 15e niveau où l'on rencontre peu de dots (38). 80 % d'entre eux s'échelonnent du 9e au 14e niveau, 62 % du 12e au 14e niveau.

9. La complexe IXe strate, celle des « sans qualité », apparaît au 7e niveau (2 001 à 3 000 livres), pour sa première catégorie, celle des gens de service, mais où les trois « états » sont représentés, l' « état » supérieur des maîtres d'hôtel (2), de statut équivalent à celui des « marchands » (VIe strate), le deuxième « état », concierge du Cardinal de Richelieu, domestique, de même statut que celui des maîtres de métier, le troisième « état » celui des « sans qualité », fils de « sans qualité », avec un cocher.

Au 8e niveau, 1 001 à 2 000 livres, se trouvent 14 « sans qualité », officier de la reine mère, « élu en l'élection de », archer des gardes du corps, marchand, maître d'hôtel, mais surtout gens de métier, laboureur, cordonniers, tailleur d'habits, tissutiers-rubaniers, maçon, gagne-deniers, ces derniers au nombre de 9. Quelques « sans qualité » se trouvent au 9e niveau (801 à 1 000 livres) : 1 charcutier, 3 tailleurs d'habits, 1 barbier-étuviste, etc. Au 10e niveau 501 à 800 livres), ils sont 21, tous gens de métier, 8 tailleurs d'habits, 2 jardiniers, 1 ceinturier, 1 menuisier, 1 maçon, 1 gagne-deniers, etc. Au 11e niveau (401 à 500 livres), ils sont 12, dont 1 valet de chambre ; 19 au 12e niveau (301 à 400 livres) ; 52 au 13e niveau (201 à 300 livres), et y apparaissent d'humbles métiers comme celui de racousteur de bas ; 53 au 14e niveau (101 à 200 livres), 15 au-dessous de 100 livres. Si nous mettons à part les domestiques et serviteurs, et certaines personnes, dont le titre de « laboureur » ou d' « élu » ou d' « officier », constitue une qualité, nous constatons que 186 (83 %) se placent dans les dots au-dessous de 1 000 livres (9e au 15e niveau) et 120 (52 %) dans les dots au-dessous de 300 livres (12e à 15e niveau).

En somme, l'échelle des dots montre une grande dispersion. Chemin faisant, la rencontre de bien des cas, au cours de la recherche peut même faire penser qu'il n'y a pas de rapport entre le statut social et le niveau des dots, entre la strate sociale et la fortune au mariage. L'échelle une fois dressée, il apparaît tout de même une certaine corrélation, avec des chevauchements et des imbrications. Les gens de la première strate reçoivent les dots de 36 000 à 300 000 livres ; ceux de la seconde, les dots entre 3 000 et 20 000 livres, avec une pointe à 80 000 ; ceux de la 3e, des dots de 3 000 à 100 000 livres ; ceux de la 4e, des dots de 801 à 50 000 livres, mais avec prédominance des dots de 3 000 à 10 000 livres ; ceux de la 5e, des dots de 501 à

50 000 livres, avec le plus grand nombre de 1 001 à 10 000 livres ; ceux de la 6e strate, des dots de 101 à 5 000 livres, avec en général, des dots de 50 à 2 000 livres ; ceux de la 7e strate, des dots de moins de 100 livres à 5 000 livres, mais avec prédominance de celles de 100 à 2 000 livres, bien que peut-être les dots de 501 à 800 livres soient les plus caractéristiques de cette strate ; ceux de la VIIIe strate, de moins de 100 livres à 3 600 livres, mais avec nette prédominance des dots de 101 à 400 livres ; enfin, la IXe et dernière strate, si elle atteint jusqu'à la tranche de 2 001 à 3 000 livres, pour les gens de service, a sa majorité dans les dots au-dessous de 300 livres. Il y a donc dans l'ensemble une certaine corrélation entre le statut social et la fortune à l'entrée en mariage, avec bien des chevauchements, si l'on considère les cas individuels.

II. — La fortune au décès

La fortune au décès n'est généralement pas la plus élevée dont a joui le défunt au cours de sa vie.

En effet, le décédé a généralement aidé des fils pour leur mariage et leur carrière et il a doté des filles. La fortune au décès est en général inférieure à la fortune au mariage. Dans le cas contraire il n'est pas toujours facile de voir la part qui revient dans l'excédent aux successions recueillies depuis le mariage. Il faudrait aussi calculer l'apparence d'accroissement que donne à la valeur des immeubles la diminution de la valeur de l'argent et l'accroissement réel mais variable et parfois la diminution qui peuvent résulter des fluctuations de la rente. C'est ce que nous n'avons pas fait. Nous nous contenterons des chiffres nominaux. Ceux-ci restent d'ailleurs approximatifs. Dans nos inventaires après décès, une partie des immeubles ne sont pas évalués. Il reste donc une marge d'incertitude dans bien des cas. Enfin, la source de notre connaissance des fortunes au décès est uniquement les inventaires après décès. Ceux-ci ne représentent guère qu'un tiers des contrats de mariage et les biens font presque certainement l'objet de dissimulations partielles et de sous-estimations. Il aurait fallu pouvoir tenir compte dans tous les cas de l'âge au décès, de la situation dans la carrière, de la durée du mariage. Pour toutes ces raisons, notre échelle des fortunes au décès est bien plus incertaine que celle des fortunes au mariage. Elle donne cependant des ordres de grandeur qui permettent d'orienter la réflexion.

Nous nous somms posé seulement la question des fortunes au décès rencontrées à chaque strate sociale.

I. — Première strate supérieure des « barons », « messire, chevalier, seigneur de », « messire, seigneur de ». Ils sont représentés par 14 cas. La moyenne de leur fortune au décès est la plus élevée de toutes les strates : 68 500-77 500 livres tournois environ. Cette moyenne est d'ailleurs abaissée par le cas exceptionnel et pour nous inexpliqué d'un « messire, seigneur de, baron de Loubye », au plus haut degré de notre échelle sociale, comme titulaire d'un fief de dignité, qui n'aurait laissé qu'une fortune de 356 livres, après avoir reçu une dot de 10 000 livres à son mariage le 18 mars 1608. La fortune la plus élevée serait celle d'un messire, conseiller du roi, secrétaire des Commandements de Sa Majesté (3e état) qui aurait atteint 245 000 livres sans l'office, non évalué.

Le premier état de la strate, celui de la haute noblesse titulaire de fiefs de dignité, nous présente en dehors du baron de Loubye, un « messire, chevalier, comte de Latour-Landry », qui laisse une fortune de 14 000 livres, après avoir joui à son mariage le 2 décembre 1609 d'une dot de 26 000 livres. Le 2e état, celui de la bonne gentilhommerie en général au service militaire du roi, semble plus riche : Antoine de Hainault, messire, chevalier, seigneur de, un des cent gentilshommes de la maison du roi, laisse environ 107 000 livres, après que son épouse lui eût apporté 24 000 livres lors du mariage, le 6 septembre 1620. Jacques d'Estampes, messire, chevalier des ordres du roi, capitaine d'hommes d'armes, laisse environ 133 000 livres ; la dot de son épouse était de 30 000 livres, le 21 mai 1589. Un messire, seigneur de, maréchal des camps et armées du roi, a environ 73 000 livres ; mais deux, messire, chevalier, seigneur de, sans profession, ne laisseraient que des fortunes, respectivement d'environ 11 000 et 500 livres tournois. Faut-il placer dans cet état, messire Louis de Mondoucet, capitaine au régime de Picardie, dont la fortune au décès est d'environ 15 000 livres, et qui n'avait épousé que la veuve d'un conseiller du roi, procureur du roi en sa justice des eaux et forêts, avec une dot de 13 500 livres ? Le 3e « état » de la strate, celui de la noblesse de fonctions, semble encore plus riche. Rappelons le conseiller du roi, secrétaire de ses commandements, et sa fortune d'au moins 245 000 livres. Nicolas de Bragelongne, seigneur de la Toucle, conseiller et maître d'hôtel ordinaire du roi, d'une vieille famille de robe, jouit de 182 000 livres de fortune environ. La dot de sa femme, fille d'un substitut du procureur général de Sa Majesté au Parlement de Paris, était de 40 000 livres, le 20 avril 1634. Louis Testu, maître d'hôtel ordinaire de la maison du roi, capitaine du guet, avait environ 90 000 livres. La dot de son épouse, le 5 juin 1611, était de 24 000 livres.

Un autre maître d'hôtel ordinaire de la maison du roi laisse environ 165 000 livres. Parmi les gens des Cours souveraines Jacques Danès, conseiller du roi en son Conseil d'Etat et privé, président en sa Chambre des Comptes, laisse à ses héritiers, environ 164 000 livres sans son office, après qu'une dot de 60 000 livres lui eût été promise le 4 janvier 1604. Un maître des Comptes était possesseur d'un fortune d'au moins 65 000 livres, car l'office n'a pu être évalué.

Il résulte de ces notes que si élevée que soit la qualité et si haut que puisse être le rang social, seul le service du roi dans les hauts grades de ses armées, dans sa maison, dans son Conseil d'Etat et ses Cours souveraines, permet l'accès aux grandes fortunes.

II. — La strate des « écuyers, seigneur de » et des « écuyers ». Nous n'en avons malheureusement que neuf, alors que nous avions pu distinguer dans cette strate sept « états » hiérarchisés. Leur fortune moyenne au décès serait de 25 à 26 000 livres. La fortune la plus élevée est celle du sieur de Martainville, commissaire ordinaire des guerres, ayant la conduite d'une compagnie de chevaux-légers, fils d'un conseiller notaire secrétaire du roi, maison et couronne de France (1er état), qui laisse 91 846 livres, dont son office évalué 38 000 livres, alors que la dot de sa femme à son mariage, le 22 juillet 1634, était de 36 000 livres. La plus basse, et extraordinairement, serait celle d'un « écuyer, sieur de », qui n'aurait eu que des meubles pour 37 livres. Le sieur Montot, exempt des gardes du corps du roi (1er état) ne posséderait que 2 296 livres, mais en outre la ferme et seigneurie de Montot, en Bourgogne, qu'il n'est pas possible d'évaluer non plus que son office. La dot de sa femme épousée le 16 juin 1634 était de 10 000 livres. Il se plaçait probablement après le sieur de Martainville. Trois autres « écuyer, sieur de » (2e état) laissent respectivement environ 75 000, 12 000, 5 000 livres tournois. (Moyenne approchée : 30 000 livres.)

Un maréchal des logis des régiments suisses, sans terre ni seigneurie (probablement 6e « état »), laisserait environ 38 000 livres, plus son office, non évalué. A son mariage, le 28 septembre 1616, sa femme lui apportait 2 000 livres. Mais un écuyer, cavalier de la compagnie de chevaux-légers, n'aurait eu que 316 livres de meubles.

En somme, dans cette catégorie aussi, ce sont les officiers de finance et les gradés des corps de la maison du roi qui atteignent généralement les fortunes les plus élevées. Mais l'ensemble de ces nobles, malgré l'honorabilité de leur statut, reste de fortune modeste et certains seraient tout à fait pauvres.

III. — Dans la troisième strate sociale, celle des « noble homme, sieur de », des « noble homme, conseiller du roi », des « noble homme, maître », des « conseillers du roi », officiers civils et hommes de loi qui sont représentés par 18 cas, la fortune moyenne au décès serait d'environ 42 000 livres. Dans le premier « état », un auditeur à la Chambre des Comptes aurait environ 48 000 livres, sur lesquelles l'office aurait représenté 40 000 livres. La dot de sa femme épousée le 26 janvier 1614 était de 20 000 livres. Mais un substitut du procureur du roi ne laissait que 7 211 livres. Dans le second état, deux conseillers notaire et secrétaire du roi, maison et couronne de France, laissaient respectivement environ 110 000 et 78 000 livres. Chose curieuse, leurs offices étaient évalués respectivement 15 000 et 53 000 livres. Un trésorier général des bâtiments avait en mourant environ 95 000 livres nettes, dont 90 000 pour l'office ; un secrétaire de la chambre du roi, environ 50 000 livres, sans l'office ; un autre environ 41 000 livres dans les mêmes conditions. Dans le troisième « état » un contrôleur général des finances de Languedoc possédait environ 58 000 livres, sans l'office ; un contrôleur général des finances dans la généralité de Soissons, environ 31 000 livres, l'office évalué 29 420. Dans le quatrième « état », un avocat au Parlement laissait environ

68 000 livres, mais un autre seulement 5 256 livres ; un avocat au Conseil privé du roi, officier, de statut social en principe supérieur à celui des simples avocats, environ 15 000 livres, et un autre, en même temps secrétaire du roi, seulement 3 229 livres. Dans le cinquième « état » de cette troisième strate celui des fils des « bourgeois », un tailleur et valet de chambre du roi laissait près de 45 000 livres, il avait épousé, le 25 février 1620, la fille d'un batteur d'or et d'argent, qui lui avait apporté en dot 3 000 livres. Un « noble homme, conducteur des œuvres de tapisserie », gendre d'un honorable homme, marchand bourgeois de Paris, qui lui avait donné avec sa fille 10 000 livres de dot, le 20 janvier 1621, n'aurait laissé que 8 510 livres. Un « noble homme, bourgeois de Paris », quelque marchand retiré, vivant de ses rentes et d'une participation à la « finance », près de 5 000 livres net. Un lieutenant de cavalerie légère, 393 livres.

Cette troisième strate, des notables, est donc en moyenne plus riche que la précédente, celle des écuyers nobles. Mais elle doit cette supériorité de fortune aux officiers de finances qui s'avèrent comme toujours plus riches que les officiers de « judicature », de statut social supérieur.

IV. — Vient ensuite la strate des « maîtres » (avant-nom), celle des hommes de loi auxiliaires de la justice, avocats, procureurs, notaires, huissiers, praticiens ; et aussi employés, commis et secrétaires divers. Elle nous offre 32 exemples, dont les avocats sont curieusement absents. La fortune moyenne au décès n'y dépasserait guère 8 000 livres. Mais la fortune réelle était certainement très supérieure car, en général, ni l'office, ni la pratique ne sont évalués.

Dans ces conditions, cinq procureurs au Parlement laissent des fortunes échelonnées d'environ 2 000 à environ 22 000 livres. Un aurait laissé 1 851 livres, après avoir été bénéficiaire, le 25 novembre 1632, d'une dot de 4 000 livres. Un second aurait possédé 2 777 livres. La dot de son épouse était, le 25 avril 1627, de 18 000 livres. Un troisième aurait eu 3 878 livres, à qui sa femme, fille d'un marchand épicier, avait apporté le 11 juin 1634, 5 000 livres. Le quatrième, après l'attribution d'une dot de 3 000 livres, le 20 avril 1586, laissait 9 291 livres. Enfin, le cinquième avait épousé la fille d'un huissier en l'Amirauté de France, le 31 mai 1620, avec 8 000 livres et avait laissé 21 993 livres. Cinq procureurs au Châtelet, dans les mêmes conditions, auraient eu des biens de 255 livres tournois, 1 426, 5 056, 5 634, 9 672 livres tournois, dans l'ensemble inférieurs à ceux des procureurs au Parlement, ce qui correspondait à la hiérarchie professionnelle. Celui qui aurait laissé 5 056 livres avait épousé la fille d'un procureur au Châtelet le 11 mars 1599, avec une dote de 1 650 livres. — Un notaire au Châtelet avait 17 340 livres. Son office était évalué 13 500 livres, sans doute avec la pratique. Son épouse, fille d'un honorable homme maître teinturier en laine et soie, lui avait apporté, le 11 novembre 1626, 6 000 livres. — Un huissier au Grand Conseil laissait 4 872 livres, dont 4 600 pour l'estimation de l'office ; un huissier à la Chambre des Comptes, 226 livres, mais l'office n'est pas évalué ; un huissier audiencier en l'élection de Paris, 6 941 livres sans l'office, plus une terre et une maison non évaluées, et avait épousé le 12 janvier 1612 la fille d'un marchand drapier avec 3 000 livres ; un huissier sergent à cheval au Châtelet, avait pris le 24 novembre 1629 la fille d'un sergent royal avec 200 livres et laissait 463 livres, sans l'office, mais un autre huissier sergent à cheval dont l'office était évalué 1 551 livres, en avait 2 065 net, et un sergent à verge possédait près de 5 000 livres ; un commissaire au Châtelet, 753 livres sans l'office.

Parmi d'autres qui prennent la qualité de maître, un docteur en médecine n'aurait eu que 426 livres, un valet de chambre du roi plus de 4 000 ; un secrétaire de la chambre du roi, près de 57 000 livres, sans l'office, un autre, près de 5 000, un secrétaire du grand maître des eaux et forêts, de même, plus de 36 000 livres ; un secrétaire du Prince de Condé, plus de 14 000 ; un commis au greffe du grenier à sel, près de 3 000 livres ; un praticien, plus de 3 000 ; un contrôleur du droit de la bûche, 167 livres ; un lieutenant général assesseur, sans l'office, 95 livres.

Les fortunes au décès de l'ensemble de cette quatrième strate sont, en général, sous-évaluées.

V. — La cinquième strate, celle des « honorable homme, marchand », des « honorable homme, marchand, bourgeois de Paris », des « honorable homme, marchand privilégié » ou « marchand, suivant la Cour », les « marchands, bourgeois de Paris » ceux-ci pour la plupart, nous présente 63 cas. La fortune moyenne au décès serait de près de 15 000 livres. Ceci concerne des merciers, des drapiers, des épiciers, des parfumeurs, des tireurs d'or, des orfèvres, des panachers, des apothicaires, des marchands de vin et des fripiers. La fortune la plus élevée aurait été celle d'un marchand et parfumeur ordinaire de la reine avec plus de 111 000 livres dont 36 589 pour le stock de marchandises, 23 000 livres de terres, 59 000 livres de créances, 13 000 livres de dettes, etc. Viennent ensuite un marchand drapier, bourgeois de Paris, avec 80 000 livres dont près de 13 000 de marchandises, 73 000 livres de créances et 17 000 de dettes, près de 7 000 livres de terres et maisons ; un marchand, bourgeois de Paris, avec plus de 58 000 livres, dont 27 000 de marchandises, près de 18 000 livres de créances, 7 000 livres de dettes, 3 000 livres de terres et maisons. Les moindres fortunes sont celles d'un marchand bourgeois de Paris, 722 livres ; d'un marchand de vin, bourgeois de Paris, 719 livres ; d'un marchand privilégié suivant la Cour, 641 livres ; et même d'un marchand fripier, 83 livres. Elles sont composées de meubles et de quelques créances. Ces « fortunes » surprennent chez des gens de ces qualités et professions. Elles concernent sans doute des gens qui sont morts après avoir distribué tout leur avoir entre leurs héritiers. Sans doute aussi le véritable niveau inférieur doit-il être atteint par ce marchand mercier qui laisse 1 412 livres de marchandises, 252 livres de créances, 587 livres de meubles divers, et 774 livres de dettes, soit un actif net de 1 477 livres.

Si nous considérons les fortunes de ceux dont nous connaissons le mariage, notre marchand drapier à 50 000 livres avait épousé le 9 juin 1616 la fille d'un marchand fripier qui lui apportait 4 000 livres de dot. Un autre marchand drapier qui laissait près de 31 000 livres s'était marié le 4 novembre 1630 à une dot de 30 000 livres. Un marchand épicier avait à son décès plus de 24 000 livres. Sa femme lui avait apporté le 10 février 1627, 6 000 livres. Un marchand, bourgeois de Paris, dont la fortune dépassait 18 000 livres, devait recevoir le 9 novembre 1629 une dot de 10 000 livres. Un marchand panacher, atteignant près de 15 000 livres au décès, avait en vue, le 12 décembre 1627, une dot de 6 399 livres. Un marchand de vin et un marchand mercier mouraient laissant plus de 13 000 livres. Les dots de leurs épouses se montaient respectivement le 5 février 1612 à 1 000 livres et le 8 juillet 1604 à 300 livres. Un marchand fripier possédait près de 12 000 livres contre une dot qui, le 17 juin 1629, atteignait 600 livres. A un marchand de vin, dont la fortune se montait à près de 10 000 livres, était promis le 24 mars 1598, 1 500 livres de dot. Un marchand mercier était passé de 300 livres de dot le 8 juillet 1604 à près de 8 000 livres de fortune. Un marchand bourgeois de Paris et un marchand fripier, approchant 6 000 livres, espéraient le premier 350 livres de dot le 13 novembre 1611, le second 300 livres, le 9 juillet 1607. Par contre un marchand orfèvre n'aurait laissé que 1 727 livres après que sa femme, fille d'un faiseur d'instruments, lui eût apporté, le 25 mars 1627, 1 500 livres et un marchand apothicaire, 1 075 livres après qu'une dot de 360 livres lui eût été annoncée à son mariage, le 24 juin 1606. Dans l'ensemble, il apparaît que dans ce monde des « honorable homme, marchand », il y a une corrélation entre le montant de la dot et celui de la fortune au décès.

Dans cette catégorie des « honorable homme », nous en trouvons 14, qui ne sont pas des marchands, mais de simples « bourgeois de Paris », c'est-à-dire des rentiers, souvent intéressés dans les « partis » des impôts royaux et des affaires extraordinaires, des officiers de police domaniaux, comme juré porteur de charbon ou contrôleur vendeur de poisson, des chirurgiens, des officiers inférieurs de la maison du roi ou d'une maison de grand personnage, tels deux tailleurs valets de chambre du roi, un menuisier ordinaire du roi ou un chef d'office du duc d'Halluin, tous gens qui seraient peut-être à classer dans la sixième strate, au niveau supérieur des maîtres de métier devenant entrepreneurs et fabricants. Ils sont nettement moins riches que les négociants, dépassant à peine en moyenne 9 000 livres. Le plus riche est un tailleur valet de chambre du roi avec près de 16 000 livres dont environ 4 000 de marchandises, 2 400 de créances, 2 400 de rentes, 4 000 de terres, et 1 000 de meubles. Les plus pauvres sont un « honorable chirurgien » (563 livres de meubles) et un « tailleur des œuvres du roi » (559 livres de meubles). Mais le niveau inférieur caractéristique doit se situer à 2 204 livres, avec cet « honorable homme, bourgeois de Paris », qui laisse 1 632 livres de rente, 269 livres de créances, 303 livres de mobilier.

VI. — La sixième strate sociale est celle, complexe et composite, des marchands. Ce sont, en général, des maîtres de métier supérieurs, déjà entrepreneurs et fabricants, intermédiaire entre les « honorable homme » d'une part et les maîtres de métier de l'autre. Dans quarante inventaires après décès le défunt reçoit la qualité de « marchand ». Mais il faut en exclure 8 cas, 4 de prétendus « marchands » (deux fruitiers, deux marchands de vin) qui laissent des fortunes de moins de 80 livres, et qui ne sont que de très minces boutiquiers revendeurs ; un fruitier et un boulanger qui ont mieux réussi (467 livres, 439 livres), mais qui n'en sont pas moins de même catégorie, et trois « facteur de marchand » (113 livres, 421 livres, 2 628 livres) qui ne sont que des employés. Restent 32 « marchands » qui doivent répondre à notre définition d'activité. Un fripier ne laisse qu'un passif ; un mercier présente un bilan passif, mais possède une maison non évaluée. Six d'entre eux (2 fripiers, 1 pelletier, 2 marchands de vin, 1 marchand de chevaux), laissent des biens pour un montant de 173 à 402 livres ; six autres (grenier, 2 fripiers, drapier, 2 marchands de vin), de 576 à 966 livres ; sept (mercier, pelletier, 2 fripiers, marchand de vin, fruitier), de 1 027 à 1 810 livres. Il faut sans doute ajouter à ceux-ci un fripier qui a 761 livres, une maison non évaluée, de l'or en quantité indéterminée ; un autre, 736 livres et une maison ; un marchand de vin, dont la fortune monte à 1 089 livres, plus de l'or ; cinq (verrier, grenier, apothicaire épicier, mercier, marchand de chevaux), de 2 011 à 3 467 livres ; enfin, un fripier laisse 8 622 livres, un boulanger, 15 754 livres.

Donc, nous voyons apparaître pour la première fois, des gens dont l'inventaire après décès se solde par un passif. Si nous les excluons, et si nous laissons de côté les deux fortunes les plus hautes, nous trouvons 27 fortunes échelonnées de 173 à 3 467 livres. 12 d'entre elles (35 %) sont inférieures à 1 000 livres ; 10 (30 %) vont de 1 000 à 2 000 livres ; 5 (15 %) se placent dans la tranche de 2 000 à 4 000 livres. La fourchette s'ouvre de 173 à 15 754 livres. La moyenne est de 2 000 livres, abaissée à 1 110 livres, si nous excluons, les deux fortunes qui se détachent au sommet. La moyenne des cinq plus riches est de 6 612 livres, celle des cinq plus pauvres, sans les deux qui n'ont plus rien, de 305 livres, avec les deux miséreux, de 124 livres.

VII. — Dans la septième strate, celle des maîtres de métier, 64 cas s'offrent à l'examen. Nous rencontrons les difficultés déjà signalées. Il est difficile de distinguer la place dans le procès de production de ces gens qui ont tous la même qualité juridique : ouvrier travaillant pour un autre ; artisan à son compte ; entrepreneur. Nous pouvons supposer qu'il s'agit de ces trois catégories, quand nous trouvons un menuisier qui laisse 59 livres, un autre 1 572, et un maître menuisier du roi, 46 469. Celui-ci ne devrait-il pas figurer chez les marchands privilégiés ? La fortune immédiatement au-dessous de la sienne, celle d'un racousteur de bas d'étamine, est de 5 482 livres. 34 métiers sont représentés dans notre liste de 64 maîtres. Il ne semble pas que le métier en lui-même influe sur la fortune au décès. L'âge du défunt et la durée du mariage non plus, ne paraissent pas avoir d'influence sur la fortune. En effet, dans les fortunes au-dessous de 500 livres, nous trouvons un mariage qui a duré plus de 20 ans, et 10 défunts qui morts avec des enfants mariés doivent entrer dans la même catégorie ; 2 mariages qui remontent à moins de 20 ans et

13 qui ayant des enfants mineurs doivent être de même ; de 500 à 1 000 livres, 3 de plus de 20 ans, 3 avec des enfants mariés, 1 de moins de 20 ans, et 3 avec des enfants mineurs ; de 1 000 à 2 000 livres, 1 de plus de 20 ans, et 4 avec des enfants mariés, 1 de moins de 20 ans et 4 avec des enfants mineurs ; de 2 000 à 5 000 livres, c'est la même chose ; au-dessus de 5 000 livres, 1 mariage remonte à plus de 20 ans et 2 au contraire laissent des enfants mineurs.

Nous trouvons 4 cas de bilans passifs. Un maître potier laisse 1 100 livres de dettes ; un brodeur, 327 livres ; un couvreur, 269 livres ; un tailleur, 19 livres. Un joaillier a un passif quant aux chiffres, mais il laisse des terres et des rentes non évaluées. Trois fortunes ne peuvent être que partiellement évaluées : un pâtissier à 663 livres, plus une terre et une maison ; un tailleur, 1 317 livres et des terres ; un potier, 4 076 livres et de l'or. Sur 56, 5 de nos maîtres de métier (9 %) possédaient moins de 100 livres : un paumier, 8 ; un maçon, 29 ; un chandelier, 52 ; un taillandier, 55 ; un menuisier, 59. 20 (36 %) s'échelonnent de 100 à 500 livres. 9 (16 %), vont de 500 à 1 000 livres. 10 (18 %) sont dans la tranche de 1 000 à 2 000 livres (en fait, de 1 020 à 1 682 livres). 7 (13 %) sont au niveau des 2 000 à 5 000, mais en fait cantonnés de 2 063 à 3 363 livres. 5 (9 %) dépassent les 5 000 livres : un tapissier, 5 863 livres ; un charcutier, 8 396 livres ; le potier d'étain, à 4 876 livres, plus de l'or ; le racousteur de bas d'étamine, 5 482 livres ; le maître menuisier du roi, 46 496 livres. Si nous laissons de côté ce dernier, d'une part, et d'autre part les maîtres qui laissent un passif, la fourchette est donc ouverte de 8 livres à 5 482 ; la moyenne est de 1 222 livres ; la moyenne des 5 plus pauvres, qui laissent un bilan positif, est de 40 livres 12 sols ; la moyenne des 4 plus riches, au-dessus de 5 000 livres, est de 6 112 livres.

VIII. — La strate des compagnons n'est représentée que par 7 cas, ce qui ne permet pas de réelle comparaison avec les autres strates. Aucune fortune n'est inférieure à 150 livres, aucune supérieure à 446 livres. Un tapissier a 150 livres ; un tonnelier et un potier, 197 ; deux orfèvres, 239 et 264 livres ; un rôtisseur, 407 ; un menuisier, 446. La moyenne est de 271 livres. Deux compagnons laissent des enfants mariés. Quatre sont morts plus jeunes sans doute, car un, laisse une veuve de 23 ans, un s'était marié en 1629, un laisse des enfants de 9, 7 et 4 ans, un autre, un enfant de 5 ans.

IX. — La complexe catégorie des « sans qualité », ne nous offre que 29 cas. Les domestiques n'y sont représentés que par 4 cochers (3e état - 74, 196, 537, 860 livres), par un concierge (3e état - 129 livres) par un cuisinier (748 livres) et par un « domestique » (2 414 livres), d'emploi et de statut incertains. Tous les autres sont des artisans, des ouvriers (passementiers, tailleurs, empeseur, serrurier, blanchisseur, tailleur de pierre, batteurs de plâtre) et des gagne-deniers. 6 (21 %) ont des fortunes de moins de 100 livres ; 14 (48 %) s'échelonnent de 100 à 500 livres ; 6 (21 %) de 500 à 1 000 livres ; 1 serrurier atteint 1 135 livres ; 1 boulanger, 2 363 livres. La fourchette s'ouvre de 22 à 2 414 livres. La moyenne est de 249 livres. Les 5 plus pauvres (sans tenir compte de deux bilans passifs) possèdent en moyenne 68 livres ; les 5 plus riches, en moyenne 1 519 livres.

Par conséquent les fortunes au décès seraient en général inférieures aux fortunes au mariage, ce qui inspire des doutes. Il faut tenir compte de ce que nous avons une grande partie des mariages, tandis que les inventaires ne nous livrent qu'une faible partie des fortunes au décès, celles qui présentaient un caractère litigieux. En tout cas, la hiérarchie des fortunes que nous présentent les inventaires au décès est semblable à celle des fortunes au mariage et la confirme. Les inventaires au décès sont donc utilisables pour déceler le style de vie et jeter des lueurs sur les mentalités selon les strates sociales.

CHAPITRE V

LE STYLE DE VIE

La façon dont les gens vivaient selon leur strate sociale, révélatrice dans une large mesure de leurs valeurs sociales et morales, est plus importante peut-être que la nature et le montant de leur fortune, bien qu'elle ne puisse s'en séparer. Le style de vie devrait inclure : la profession, l'éducation, la titulature, le langage, les manières, les cérémonies, les distractions, la vie de société dans son ensemble. Partant d'un échantillon de documents, nous nous sommes réduits sur ce point aux éléments qui peuvent se tirer des inventaires après décès. Ceux-ci présentent deux inconvénients : nous fournir surtout des éléments d'ordre matériel et économique ; nous les donner pour des défunts d'âges très divers, qui appartenaient à des générations différentes, dont les styles de vie pouvaient varier de l'un à l'autre, et, en majorité, pour des gens âgés, dont le style de vie pouvait sensiblement différer de celui des plus jeunes. Faute de pouvoir distinguer les âges dans un nombre suffisant de cas pour séparer trois générations dans chaque strate et chaque « état », il nous a fallu considérer comme un tout les inventaires de chaque strate et de quelques « états », et établir ainsi pour chacun un style de vie synthétique qui n'est qu'une approximation.

Les inventaires après décès nous décrivent les intérieurs, les meubles, les vêtements, les ustentiles de cuisine, le décor, etc. Ils peuvent donc nous permettre une foule de constatations d'ordre psychologique et social. Les données peuvent être tellement nombreuses pour certains inventaires que toute comparaison devient difficile. Il faut choisir des éléments considérés comme révélateurs. Il nous a semblé d'abord qu'il fallait distinguer les gens qui occupaient un hôtel ou tout au moins toute une maison de ceux qui n'étaient logés que dans un appartement ; compter le nombre de pièces et voir s'il y en avait de spécialisées, notamment si la cuisine existait. Dans le cas de pièces spécialisées, décrire particulièrement la salle et la cuisine, leur mobilier, leur outillage domestique, et l'état de ceux-ci. Tenir compte de la présence, de l'absence, du nombre, de l'estimation, d'éléments qui, dans cette société, apparaissaient comme distinguer des niveaux sociaux : domestiques, serviteurs, servantes ; fontaine de cuivre, rouge ou jaune, étain sonnant, argenterie, glaces, tapisseries, bois précieux, bijoux, carrosse, chevaux, armes, réserves de vin, de bois, de foin, porte cochère. L'absence de serviteurs ou de servantes dans les inventaires ne donne qu'une présomption. Il semble en effet que même des ménages, que nous considérerions comme pauvres, avaient une servante. Mais les inventaires ne permettent pas toujours de les déceler.

Pour ce type de société, nous avons cru devoir introduire dans le style de vie les composantes des fortunes, comme révélatrices encore plus d'un état des esprits que d'une participation à la division du travail social, d'un service, d'une production, d'une nécessité de subsistance et d'entretien.

I. — La strate des « messire, chevalier, seigneur de », des « messire, seigneur de », haute noblesse et gentilhommerie.

En moyenne, leur fortune comprend moins de terres, seigneuries et fiefs qu'on ne s'y attendrait : 24 %. Par contre les rentes constituent la proportion la plus élevée de l'avoir : 35 %. Les créances 27 %. Les offices comptent peu, car beaucoup de messire n'exercent aucune fonction et d'autres sont titulaires d'offices militaires d'une valeur moindre que celle des offices de justice ou de finance : 8 %. Tout ce qui entre dans l'intérieur de leur logement, meubles, tapisseries, tableaux, argenterie, bijoux, vêtements, linges, etc, compte pour 17 %.

Nos gens n'occupent pas d'hôtel particulier à Paris, ce qui est un hasard. Sur 14, 7 habitent chacun une maison ; un, une portion de maison ; un, un petit corps de logis ; un est logé dans la maison d'un autre personnage. Rien n'est précisé pour les autres. En dehors de Paris, l'un d'eux possèdent un château : celui de Mareil ; un autre, une maison seigneuriale ; un a deux maisons ; un dernier, une. Leur habitation comprend une salle dans huit cas sur onze ; une cuisine, également dans huit cas sur onze. Les onze habitations comprennent ensemble 46 chambres, soit une moyenne de 4 par habitation. L'on trouve des écuries dans cinq cas ; une sommellerie, dans un cas ; deux chapelles, un cabinet servant d'oratoire ; un autre servant de bibliothèque.

L'argenterie est proportionnellement importante chez les « messire ». Seuls ils possèdent des plats en argent. Ils détiennent 71 % du total des flambeaux en argent et 57 % des chandeliers en argent, propriétés des gens des quatre premières strates, jusqu'aux « maîtres » (avant-nom) inclus. En moyenne, les « messire » détiennent chacun 174 marcs d'argenterie valant 3 597 livres tournois. Sept « messire » possèdent des armes (10 épées, 14 pistolets, 7 arquebuses, 2 carabines, 6 hallebardes), pour une valeur moyenne de 30 livres. Dans 9 cas sur 14, les inventaires des « messire » nous montrent des bijoux. En moyenne, ils en ont pour 1 240 livres. Louise de Joigny en possédait le plus : 9 064 livres ; Jean de La Tour-Landry, le moins, 20 livres. Il n'a pas été possible de discerner pour cette strate, non plus que pour les autres, si un genre particulier de bijoux caractérisait la strate. Les « messire » sont ceux qui possèdent le plus de chevaux, 11 sur 14 en ont, 37 bêtes pour une valeur de 5 210 livres, et 8 sur 14 ont des carrosses, 12 voitures estimées 1 210 livres. Les messires utilisent les services de 84 % des domestiques (36 sur 43). Il faut entendre par domestiques les secrétaire, agent d'affaires, maître d'hôtel, valet de chambre, laquais, concierge, demoiselle suivante, gouvernante, femme de chambre, à l'exclusion des simples serviteurs et servantes. Mais les « messire » emploient, outre leurs domestiques, 4 serviteurs et 13 servantes.

II. — La strate des « écuyers ». En moyenne, les terres et maisons constituent environ 20 % des fortunes, les rentes seulement 14 %, les créances 38 %, les offices 17 %, l'intérieur 12 %. Les écuyers occupent à Paris 2 maisons, 1/2 maison, 6 chambres. Une de ces chambres est dans l'hôtel de Longueville, une autre dans l'appartement de la reine. Sur ces 6 chambres, 3 se réduisent à une pièce unique, mais 3 ont des dépendances, cabinet, galletas, grenier, cave. Les maisons ne comprennent ni écurie, ni sommellerie, ni chapelle. Dans un cas, l'on y trouve une salle, dans trois cas une cuisine ; le nombre de chambres est de 7, soit environ 2 à 3 par maison, 1 ou 2 pour la demi-maison.

Les écuyers, selon les inventaires, n'auraient disposé d'aucun plat ni assiette d'argent, mais seulement de fourchettes, de cuillers, de salières, de flambeaux, de chandeliers, pour une moyenne de 365 livres tournois.

Les inventaires de cinq écuyers sur neuf révèlent des bijoux. Un maréchal des logis des régiments suisses en avait pour 1 712 livres, 55 % du total. Un commissaire ordinaire des guerres n'en détenaient que pour 12 livres. Moyenne : 340 livres, moyenne peu significative dans ce cas.

Quatre écuyers seulement possédaient des armes, pour une valeur moyenne de 12 livres. Quatre se servaient de chevaux, en moyenne 2 par écuyer. Deux avaient chacun un carrosse. Ils utilisaient les services de 8 serviteurs et servantes.

III. — Les « noble homme, conseiller du roi, sieur de », officiers et hommes de loi. Les terres ne figurent dans leur fortune que pour 8 % ; les rentes, pour 26 % ; l'office, pour 31 % ; les créances, pour 14 % ; l'intérieur, pour 15 %. Bien que l'office soit classé juridiquement comme immeuble, économiquement parlant, leur fortune est surtout mobilière.

Les noble homme, au nombre de 17, occupent à Paris 8 maisons, 3 chambres, et 6 locaux non précisés ; en province, une maison. La maison de province comporte une chapelle et 7 chambres. A Paris, il y a 2 écuries, 9 salles, 9 cuisines plus un bouge servant de cuisine et 29 chambres, soit, en moyenne, moins de 2 chambres. Les « noble homme », plus riches en argenterie que les écuyers, ont des assiettes, des fourchettes, des cuillers, des salières, des flambeaux, des chandeliers d'argent, en moyenne 36 marcs d'argent pour 778 livres tournois. Leurs bijoux valent en moyenne 794 livres. Un contrôleur général des finances de Languedoc en possède pour 9 989 livres 10 sols, un conseiller notaire, secrétaire du roi, maison et couronne de France, en a le moins, 8 livres. 14 « noble homme » détiennent des armes, pour une valeur moyenne de 21 livres. 5 sur 17 ont des chevaux, 22. 3 d'entre eux ont chacun un carrosse. Ils ont à leur service 6 domestiques, 8 serviteurs, 12 servantes.

IV. — La strate des « maître » (avant-nom), avocats, procureurs, notaires, secrétaires de la chambre du roi, greffiers, huissiers, praticiens. Dans leur fortune, l'office prédomine nettement, 53 % ; vient ensuite l'intérieur, 20 % ; les créances, 11 % ; les rentes, 9 % ; les terres, 9 % . Sur 32 inventaires, 14 ne donnent pas de précisions sur le logement. 3 « maîtres » occupent une maison, 2 sont logés dans un corps d'hôtel, 4 dans une maison, 5 dans une chambre, un à l'auberge. Il n'y a une écurie que dans un cas, une étude dans deux, la cuisine est attestée 10 fois, la salle 8 fois. Il y a 54 chambres, donc une moyenne de 3. Mais si 5 occupent une seule chambre, 4 autres ont une chambre avec dépendance, boudoir, cabinet. Les gens de loi ont de l'argenterie, mais ni plats, ni assiettes, seulement des fourchettes, cuillers, salières, flambeaux et chandeliers. En moyenne, ils en ont pour 8 marcs valant 205 livres tournois. Les bijoux deviennent peu nombreux, en moyenne pour 119 livres, mais un procureur au Parlement en possède pour 505 livres, un procureur au Châtelet pour 5 livres. 17 maîtres possèdent des armes, mais seulement pour 5 livres en moyenne. Ils n'ont ni chevaux ni carrosses. Leurs gens de maison se réduisent à 2 serviteurs et 19 servantes, c'est-à-dire que tous les inventaires ne laissent pas apparaître de servantes.

V. — La strate des « honorable homme », marchands, maîtres-marchands, marchands privilégiés suivant la Cour, bourgeois de Paris, celle du niveau supérieur du commerce, le négoce, les dirigeants d'entreprise, nous procure 77 inventaires. Dans leurs fortunes, les terres ne comptent en moyenne que pour 6 %, les offices (charges subalternes de la maison du roi ou des maisons des princes, offices domaniaux ou de police) pour à peu près autant. L'intérieur constitue en moyenne 20 % de leurs fortunes. La plus importante partie est constituée par les créances (46 %) et par les rentes (22 %). 46 de nos « honorable homme » nous livrent des renseignements sur leur logement. Ils occupent à Paris 26 maisons, 16 chambres, dont 6 sont réduites à la pièce unique sans dépendances, 4 appartements. Pour l'ensemble nous trouvons un magasin, 24 boutiques, 10 salles, 14 cuisines, 88 chambres. Plus des deux tiers n'utilisent donc pas une cuisine spécialisée. Les maisons et appartements comportent de 2 à 3 chambres. A peu près un cinquième utilise en outre une salle. Ceux-ci ont une cuisine. La valeur moyenne du mobilier est de 333 livres. L'argenterie de nos « honorable homme » comprend des fourchettes, cuillers et salières, une demi-douzaine de chandeliers ; en moyenne, 12 marcs d'argent valant 272 livres. Ils ont des bijoux pour des valeurs qui s'échelonnent de 618 livres pour un « honorable homme » marchand, drapier, bourgeois de Paris, à 5 livres pour un honorable homme, marchand, bourgeois de Paris, en moyenne 177 livres. Beaucoup détiennent des armes, pour une valeur moyenne de 10 livres. Mais ils n'ont ni carrosse, ni chevaux. Dans 40 inventaires sur 77 est mentionnée une servante ; dans 14, en outre, un serviteur.

VI. — Chez les « marchands » qui méritent vraiment cette qualité, maîtres de métier supérieurs, intermédiaires entre les « honorable homme » et les maîtres de métier ordinaires, l'intérieur, sous forme de mobilier et de vêtements prend une place désormais grandissante dans la composition des fortunes pour la plupart des cas. En moyenne, la fortune comprend 312 livres de mobilier et 139 livres de vêtements. Sur 40 marchands, 17 laissent des deniers comptants, en moyenne, 229 livres. Les terres ne figurent que dans 3 cas (8 %), en moyenne 870 livres. 5 avaient des maisons (13 %), en valeur moyenne 2 750 livres. 4 (10 %) laissent des rentes, pour une valeur moyenne de 580 livres. 18 possèdent des marchandises ou de l'outillage, pour une valeur moyenne de 320 livres. 14 (35 %) des créances, en moyenne pour 179 livres.

Nos « marchands » sont logés plus modestement et ne disposent guère de pièces spécialisées. 3 seulement utilisent une salle (8 %), 6, une cuisine (16 %). 9 (23 %) vivent dans plus de trois pièces, 6 (15 %), dans trois pièces, 9 (23 %), dans deux pièces, 12 (30 %), n'ont qu'une pièce. Il n'y a pas tout à fait une pièce par personne. 8 occupent une boutique (20 %). 25 (63 %) ont de l'argenterie, en moyenne pour 204 livres. 18 ont des armes (45 %), de peu de valeur. Les carrosses et les chevaux sont absents. Dans 10 inventaires (25 %) sont mentionnées des servantes, mais il pouvait y en avoir davantage.

VII. — Dans la strate des maîtres de métier, les indications insuffisantes des inventaires après décès ne nous permettent pas de distinguer entre les trois « états » que nous avaient révélés les contrats de mariage. Sur 56 inventaires, le mobilier et les vêtements se trouvent évidemment partout, en moyenne, 250 livres de mobilier, 121 livres de vêtements. Dans 35 cas (63 %) nous trouvons de l'argenterie, en moyenne pour 95 livres, dans 35 cas aussi, des bijoux, en moyenne pour 51 livres ; dans 31 cas, des créances (55 %), moyenne 328 livres ; dans 26 cas, des deniers comptants (46 %), en moyenne 320 livres ; dans 7 cas, des rentes (3 %), en moyenne 1 957 livres, mais le résultat est faussé par un cas unique très élevé de rentes ; dans 6 cas, des terres (11 %), en moyenne 351 livres ; dans 6, des maisons, en moyenne 206 livres ; dans deux cas, des offices de police (4 %), en moyenne pour 3 600 livres. Dans 23 cas (40 %), nous constations la présence de marchandises. 23 maîtres possèdent des armes (40 %). Dans leur logement, ils disposent en moyenne d'une pièce par personne. 20 (36 %) sont logés dans une pièce ; 17 (30 %), dans 2 pièces ; 6 (11 %), dans 3 pièces ; 14 (23 %), dans plus de 3 pièces. Mais 5 seulement (9 %) disposent d'une cuisine et 9 (16 %) d'une salle. 28 utilisent une fontaine de cuivre rouge. 10 des inventaires laissent apparaître un serviteur et une servante.

VIII. — La strate des compagnons. Les inventaires qui les concernent se réduisent à 7. En moyenne, ils possèdent 138 livres de mobilier, 60 livres de vêtements. 4 sur 7 (57 %) ont de l'argenterie, en moyenne 22 livres ; 1 détient des bijoux, 10 livres ; 2 ont des deniers comptants, en moyenne 140 livres ; 2, de l'outillage, pour une moyenne de 5 livres ; 1 a des créances, 37 livres, 1, des rentes, 140 livres. Aucun ne possède d'immeuble. Tous vivent dans une seule pièce avec une moyenne de 3 personnes par pièce. Aucun n'a de cuisine, de salle, ni de boutique. Aucun n'a de servante.

IX. — La dernière strate, celle des « sans qualité », gens de service ou gens de métier qui n'ont pu accéder à la maîtrise, souvent gens de la campagne venus tenter leur chance à Paris, nous présente 32 cas. En moyenne, leur mobilier est estimé 165 livres, leurs vêtements 89 livres. 9 ont de l'argenterie (28 %) estimée 59 livres ; 11 des bijoux (34 %) pour 55 livres ; 9 de l'outillage et des marchandises, en moyenne 221 livres ; 10, des créances (31 %), pour 466 livres ; 8, des deniers comptants (25 %), pour 436 livres ; 8 ont des armes (25 %) ; 4, des fontaines de cuivre rouge (13 %) ; aucun ne possède de rente ; aucun n'a de maison ; un seul est propriétaire d'une terre estimée 240 livres. 19 (59 %) vivent dans une seule pièce, 9 (28 %) dans 2 pièces, 1 dans 4 pièces. En moyenne, il y a 2 à 3 personnes par pièce. Nous trouvons mentionnée une servante dans un seul inventaire, celui d'un tailleur d'habits, dont la fortune ne s'élève qu'à 88 livres.

Dans l'ensemble, il semble remarquable que dans les inventaires des gens normalement destinés à la production et à la circulation des marchandises, marchands, maîtres de métier, artisans sans qualité, l'outillage et les stocks aient tenu si peu de place. Est-ce que tout cela était compté à part, vendu à part, ou bien la production des richesses importait-elle si peu ? Remarquable aussi dans les strates supérieures qui sont en même temps les plus riches, la faiblesse du rôle joué par les terres, fiefs et seigneuries, et le rôle relativement important joué par la fortune économiquement mobilière, créances, rentes, offices, bien que les rentes et les offices soient classés juridiquement comme immeubles. Ici encore, est-ce une apparence due à la nature de nos documents ou bien un fait parisien que cette prédominance de la fortune mobilière ?

Tous ces gens semblent relativement mal logés, avec un petit nombre de pièces spécialisées. Tout le monde, même dans la strate la plus élevée, n'a pas une cuisine. Tout le monde n'a pas une salle. Un petit nombre seulement dispose d'une chambre à coucher. Il est évident qu'en général on couche à deux ou trois par pièce, qu'on vit dans une même pièce qui sert à la fois de salle de séjour et de cuisine. S'il y a un effort pour thésauriser et pour embellir la vie, il est frappant de voir combien argenterie, bijoux, argent monnayé, sont relativement rares et peu importants. Les armes ne sont pas universellement répandues, même dans la strate supérieure. Les chevaux et les carosses disparaissent après la troisième strate. L'ensemble laisse l'impression d'un niveau de vie dans l'ensemble assez peu élevé, vite réduit aux nécessités.

CHAPITRE VI

LES MENTALITES

Nos inventaires après décès ne nous livrent que peu de chose sur les idées, les sentiments, les jugements et les raisonnements de nos gens. Avec les mêmes réserves sur les âges que celles déjà formulées pour les styles de vie, nous pouvons tirer quelques renseignements des bibliothèques, des tapisseries, des tableaux, des objets de piété, mais peu de chose. En effet, pour tous ces objets, il se pose d'abord les questions de savoir s'ils venaient des générations antérieures ou des acquisitions du défunt, et quelle importance réelle y attachait leur possesseur. Lisait-il ses livres ? Regardait-il effectivement ses tableaux ? Contemplait-il son crucifix ? Egrenait-il son chapelet ? Les inventaires des bibliothèques nous renseignent particulièrement mal. Ne sont mentionnés le plus souvent que les in-folio et in-quarto, d'une relative valeur marchande. Mais les petits livres et les brochures, souvent d'actualité, souvent beaucoup plus importants pour l'ensemencement intellectuel et pour la formation de l'esprit et du cœur, ne sont pas indiqués, ou sont portés sous la formule : « un paquet de tant de livres ». De toute façon, ces inventaires ne pourraient jamais nous montrer quels sont les livres, les pages de livres, qui se sont implantés dans l'esprit et dans le cœur, y ont tallé, ont imprégné le subconscient et modifié l'individu et son comportement. Il s'agit donc d'un effort désespéré pour ressusciter les morts.

I. — 9 messire, chevalier, seigneur de, sur 13 possèdent des bibliothèques : Louise de Joigny d'Etampes, Marie de la Caussade, veuve de messire Henri d'Incampet, seigneur et baron de Loubye, Jacques Danès, maître ordinaire à la Chambre des Comptes, Martin Langlois, conseiller au Conseil d'Etat et privé, Beauvilliers, secrétaire des Commandements de Sa Majesté, un maître d'hôtel ordinaire du roi, un capitaine au régiment de Picardie, un des chevaux-légers de la maison du roi.

Dans cette première strate les livres dont nous avons les titres se répartissent en six catégories : théologie et livres de piété, Antiquité classique, philosophie, droit, civilité et mœurs, dictionnaires et manuels. Les titres des livres de théologie ne sont pas précisés. Dans les livres de dévotion, nous trouvons une Bible (Jacques Danès), deux bréviaires (Martin Langlois), des psautiers (le secrétaire des Commandements), deux vies de saints, les *Lettres de consolation* de David Hommet, l'*Honneur qui doit être rendu à la Vierge Marie, Les Saintes*

Observations de Joseph Hal, et chez Marie de la Caussade, des livres intitulés *Alphabet de l'excellence et perfection des femmes, Caractère des vertus et vices, Entretien des bons esprits sur la vanité de ce monde, ou mépris des choses humaines,* en somme peu de chose. Le plus significatif se trouve chez les gens de robe, chez qui, peut-être, l'un méditait les Ecritures, les deux autres coupaient la journée de retours à Dieu et de prières par les psaumes. Pour l'Antiquité classique ,Virgile, Sénèque et Cicéron, sont représentés, ce qui est court. Dans le droit, les titres ne sont pas précisés chez Jacques Danès. Chez Marie de la Chaussade, l'on trouve les coutumes de Béarn et les Ordonnances du roi Louis XIII. Mais la plupart de ces magistrats et hommes de loi semblent n'avoir possédé aucun ouvrage de droit. En philosophie, Jacques Danès possède Aristote, Marie de la Chaussade, la *Logique* de Dupleix et la *Philosophie française* de Pierre Dumoulin. Les autres étaient sans doute assez philosophes pour pouvoir se passer de livres de philosophie. Pour la civilité et les mœurs, nous trouvons des livres intitulés *Artifice de la Cour, Civilité puérile et honnête, La Nouvelle Amarante* (Marie de la Chaussade). Les dictionnaires et manuels comprennent le Dictionnaire de Robert Estienne et une *Géographie et cosmographie* (chez Jacques Danès), le *Théatrum orbis terrarum,* la *Bibliothèque historiale* de Viguier, la *Rhétorique* de Jean Bodin.

La rareté des livres, leur caractère sporadique, ne nous donne pas une grande idée de la culture intellectuelle de la première strate sociale, ni de sa dévotion.

Chez 9 messire sur 12, nous trouvons des tableaux : 36 de piété, 49 profanes. Si nous les classons selon les thèmes du Rosaire de la Vierge Marie, les Mystères joyeux dominent, Annonciation, Visitation, Nativité, Présentation au Temple, Jésus au milieu des Docteurs. Nous trouvons une Annonciation, une Visitation, 2 Nativité, 2 Adoration des Rois, et nous pouvons y rattacher un Petit Jésus, 4 « Vierge tenant son fils » et un « Notre Seigneur et la Vierge », en tout 12. Les Mystères douloureux sont bien représentés (Agonie de Gethsémani, Flagellation, Couronnement d'épines, Portement de croix, Crucifixion). Nous trouvons en effet un Christ au jardin des Oliviers, un Jésus portant sa croix, trois Christ en croix. On peut y rattacher un « Ecce homo », et un « Petit Jésus avec les armes de la Passion. Mais la Passion du Christ, centre de la religion chrétienne, point central de la Rédemption, n'en passe pas moins au second plan, en pleine apogée de la Renaissance catholique en France. Quant aux mystères glorieux, inséparables de la Passion, et son aboutissement, ils disparaissent à peu près, ce qui est stupéfiant. (Résurrection, Ascension, Pentecôte, Assomption, Couronnement de la Vierge). Il n'y a pas une seule Résurrection, alors que le fait de la Résurrection fonde la foi chrétienne et lui ouvre l'espérance de partager le sort du Christ à qui l'unit la charité.

L'unique mystère glorieux représenté est celui de l'Assomption de la Vierge.

Le culte des saints et la demande de leur intercession sont bien représentés : 3 Vierge, 1 Vierge avec les Saints Anges, 1 Notre Dame de Montserrat, 6 sainte Madeleine, 2 saint Jean-Baptiste, 1 saint Sébastien, 1 saint Antoine, 1 saint François, 1 sainte Catherine, 1 sainte Thérèse.

Nous devons donner les thèmes bibliques parmi les tableaux de piété. Remarquons cependant que faute de voir les œuvres, nous ne pouvons savoir si l'artiste s'attache au sens religieux, ou si la Bible est un prétexte à peinture de paysage ou à peinture érotique : une histoire de Loth, un jugement de Salomon.

Les 49 tableaux profanes montrent une prédominance des intérêts politiques. On y trouve un portrait d'Henri III, deux d'Henri IV, un du roi d'Angleterre, un du roi et de la reine d'Angleterre (Charles Ier et Henriette de France), 12 « Empereur », 5 « Pape », 6 cardinaux, en tout 28. Viennent ensuite des portraits de personnages moindres, parfois portraits de famille : le comte Mansfeld, le gouverneur de Calais, Maître de Valançay, Maître de Bragelongue, Thomas François de Bragelongue, M. et Mme de Villeneuve, 6. Enfin des tableaux de genre : femme nue, joueur de flûte, mariage, petit enfant, fruits, bouquets, l'espagnol avec sa fraise, 15 en tout. 13 sur 14 de nos messire possèdent des tapisseries pour une valeur totale de 10 287 livres, 735 en moyenne. Un maréchal des camps et armées du roi en possède le plus, 2 226 livres. Il y a des tentures de haute lisse à grands personnages d'Auvergne et de Flandre, d'un grand prix, mais les sujets ne sont pas précisés.

II. — La seconde strate, celle des écuyers, seigneur de, ou sans seigneurie. Leur activité intellectuelle paraît réduite. Sur 9, 3 seulement ont des livres, pour une valeur totale de 64 livres tournois. Un seul de ces ouvrages est identifié : une légende des Saints. Chez un écuyer, sieur de, il y a plusieurs paquets : au total, 336 volumes non décrits. Chez un commissaire ordinaire des guerres, l'inventaire indique plusieurs volumes d'histoire et d'auteurs divers. 2 écuyers seulement sur 9 possédaient des tableaux, en tout 15, estimés ensemble 31 livres. Les tableaux à sujet religieux ne sont au nombre que de 4 : un petit Jésus, une Adoration des Mages, une Crucifixion, une Madeleine. La Résurrection disparaît décidément. 11 tableaux sont profanes : 3 portraits de rois, Henri III, Henri IV, Jacques d'Angleterre ; 4 autres portraits, dont un Savonarol ; 7 sujets non précisés. 5 écuyers sur 9 ont des tapisseries mais les sujets n'en sont pas précisés.

III. — Les noble homme, généralement officiers et hommes de loi, possèdent des livres dans 8 cas sur 17. Ce sont : un contrôleur général de la généralité de Soissons, un conseiller, notaire, secrétaire du roi, maison et couronne de France, un substitut du procureur du roi, un conseiller du roi, trésorier général de ses bâtiments, un contrôleur général des finances du Languedoc, un garde général des meubles de la Couronne, un avocat au Parlement et Grand Conseil, un avocat au Parlement. Ce sont les avocats qui ont les bibliothèques les plus importantes, 337 et 335 volumes.

Les livres religieux comprennent quelques livres qui suggèrent un effort de prière et de dévotion : des Bibles, 5 en tout, dont 2 chez le contrôleur général de la généralité de Soissons, et une chez l'avocat au Parlement, 2 bréviaires et un *Catéchisme de Grenade* chez le trésorier général des bâtiments, une *Instruction de la Vie de Notre Seigneur Jésus-Christ* chez le contrôleur général de Soissons, l'*Institution Catholique* du Père Cotton, chez l'avocat au Parlement, une *Vie des saints* chez le secrétaire du roi, les *Confessions* de saint Augustin et les œuvres de saint Grégoire chez le contrôleur de Soissons, les œuvres de saint Jérôme, de Tertullien, de saint Augustin, chez l'avocat au Parlement.

Les livres de droit sont étonnament rares : droit coutumier, droit romain, et on peut y rattacher des œuvres de théorie politique comme celle de Jean Bodin, chez l'avocat au Grand Conseil, et celles de Loyseau, chez le contrôleur général des gabelles de Languedoc.

L'histoire est mieux représentée : l'histoire générale d'abord : *Histoire universelle de tous les Etats du monde,* et *Chronique universelle* chez le substitut du procureur du roi, les *Etats et Empires* chez le secrétaire du roi ; l'histoire ancienne ensuite : *Vies de huit excellents personnages grecs et romains,* chez le contrôleur de Soissons, l'*Histoire de la décadence de l'Empire grec,* chez le substitut du procureur du roi, l'*Histoire de Joseph* chez le secrétaire du roi et chez l'avocat au Parlement ; enfin l'histoire « moderne » : *Histoire des pays d'Europe, Froissart, Guerres d'Italie,* chez le substitut du procureur du roi, tandis que le garde des meubles de la Couronne détient la *Chronique de Monstrelat* et l'avocat au Parlement, les *Mémoires de Commynes,* l'*Histoire de Portugal,* celle *d'Espagne.*

Le trésorier général des Bâtiments n'est peut-être pas sans intérêt pour le conte, le théâtre, l'architecture, méditerranéens : Boccace, Lope de Vega, Scamozi, Vignole. L'avocat au Parlement possède un Vitruve.

C'est la bibliothèque de l'avocat au Parlement qui est la mieux composée. Il est *le seul* à posséder des auteurs anciens, latins (Cicéron, César, Virgile, Sénèque, Pline) et grecs (Homère, Démosthène, Plutarque). Il a des livres de théologie, de piété, de philosophie, de droit, d'histoire et d'art. L'on se serait attendu à plus de livres religieux. Nos gens allaient-ils recevoir souvent la parole de Dieu et le corps du Seigneur à la messe ? Disaient-ils le chapelet ? La culture humaniste, elle, apparaît en somme inexistante. Mais les ouvrages professionnels sont à peine moins rares. L'ensemble laisse une impression de pauvreté intellectuelle, et de vide intérieur.

Quatorze de nos « noble homme » ont accroché des tableaux, 54 % portant sur des sujets religieux, 46 % sur des sujets profanes. Les Mystères joyeux ou assimilés apparaissent une dizaine de fois (2 Annonciation, 2 Visitation, 4 Nativité, 1 adoration des Mages, 1 présentation au Temple, 1 Vierge à l'Enfant ; les Mystères douloureux ou assimilés, une douzaine de fois (1 couronnement d'épines, 2 Ecce Homo, 8 crucifixions, 1 descente de croix). Les Mystères glorieux ou assimilés sont une fois de plus sacrifiés et ne sont représentés que par le Christ et les Pèlerins d'Emmaüs. La plupart de ces gens semblent, dans leur marche vers Dieu, en rester à la Croix.

La Vierge apparaît seize fois ; deux anges : saint Michel et un ange gardien ; des saints, treize fois (les quatre Evangélistes, les douze Apôtres, sainte Madeleine (5), saint Sébastien (2), saint François d'Assise, sainte Catherine, saint Jérôme.

Les œuvres profanes comprennent un portrait de la défunte et de son mari ; quatorze toiles « politiques » : Henri III, 2 Henri IV, un Louis XIII, une reine, 6 rois et reines, 2 papes, le cardinal Ludovisi, un autre cardinal. La mythologie est représentée par 2 Vénus, une déesse, Renaud et Armide. Il y a 11 paysages. Enfin, une douzaine de tableaux de genre : singes, saisons, incendie, chasse, joueur de carte, gendarme.

13 sur 17 de nos noble homme ont des tapisseries pour une valeur totale de 7 726 livres, en moyenne 595 livres. Le contrôleur général des finances de Languedoc, en possède à lui seul pour 4 628 livres. Abstraction faite de son goût, la moyenne tombe à 258 livres. Notre contrôleur a des tapisseries de Turquie et de Perse, une tenture de haute lisse représentant le roi Henri III, évaluée 3 000 livres. Manifestation de loyalisme ? Un autre noble homme a une tenture d'Auvergne représentant « David et Goliath », mais sans qu'il nous soit possible de savoir si c'est un prétexte à nudités athlétiques ou un symbole de la puissance de l'élu de Dieu en lutte avec les forces du mal.

IV. — La strate des maîtres (avant-nom) est avant tout celle des hommes de loi, avocats, procureurs, notaires. 15 sur 34 ont des livres mentionnés dans l'inventaire. Dans deux cas il n'y a aucun livre de piété. Un commis d'Abel Servien les remplace par les *Essais* de Montaigne, un notaire au Châtelet par les œuvres de Sénèque : interprétation sceptique d'une part, stoïcisme de l'autre, ou peut-être stoïcisme dans les deux cas. Chez les treize autres, on trouve 4 Bibles, 5 Vie des Saints, un volume de prières de l'Eglise, un psautier de Laval, un livre des *Excellences et perfections immortelles de l'âme*, 6 volumes de dévotion. Cinq de ces gens de loi possèdent des livres de droit : un *Recueil d'édits, arrêts, déclarations et ordonnances*, un *Code Henri*, trois *Coutumiers*, deux Bacquet, un Charondas sur le droit civil, un *Traité des notaires* de Papon. Trois seulement ont des œuvres d'auteurs de l'Antiquité classique. L'un n'a qu'un Sénèque ; un autre, Hérodote, Cicéron, Virgile ; le dernier Hérodote, Thucydide, Plutarque, Tite-Live, Sénèque. Cinq s'intéressent un peu à l'histoire. L'histoire ancienne est avant tout représentée par l'*Histoire Juive* de Josèphe (2). Mais c'est surtout l'histoire contemporaine de la France qui figure : *Histoire de ses rois, Défense de la monarchie française, Histoire de Henri III, Parallèle entre Henri IV et César, Histoire de Bayard*, Pasquier. *Ambassade* de du Perron, *Mémoires* de du Bellay, *Voyage de M. de Brèves à Constantinople.*

22 sur 34 des « maître » (avant-nom) ont 69 tableaux à sujets religieux et 52 à sujets profanes. Parmi les Mystères joyeux ou sujets assimilés, 1 Annonciation, 3 Nativité, 5 Adoration des rois Mages, 1 Circoncision, 2 Vierge, son fils et saint Joseph, 1 Vierge à l'Enfant, 13 en tout. Les Mystères douloureux ou sujets assimilés sont repré-

sentés 26 fois, dont 3 Portements de Croix, 14 Crucifixions, 5 Descentes de Croix. Une fois de plus, les Mystères glorieux sont négligés : une seule Pentecôte. La Résurrection est absente. La vénération des saints est répandue : 8 Vierge, 1 « Sept douleurs de la Vierge », 1 décollation de saint Jean, 1 sainte Anne, 9 sainte Madeleine, 1 saint Jérôme, 1 sainte Geneviève, 1 sainte Elisabeth.

Dans les tableaux profanes, il y a quelques portraits du roi ou de son père Henri IV, quelques sujets mythologiques, mais surtout des natures mortes et des paysages.

V. — Les honorable homme, marchands, au niveau supérieur du commerce, un monde de négociants et de dirigeants d'entreprises. Leurs inventaires contiennent des livres dans 20 cas sur 44. Ce sont les ouvrages de piété qui dominent de beaucoup, 42, dont 8 chez le même honorable homme, marchand fripier, bourgeois de Paris. On trouve seulement 6 Bible, 2 Nouveau Testament, 1 Vie de Jésus, mais 15 Vies des Saints, 11 livres d'Heures. Il n'y a que deux livres d'oraison, et une *Somme* de saint Thomas. Donc peu de retour aux sources, les Saintes Ecritures, peu de « lectio divina », peu de contact direct avec Dieu par la Parole, peu de théologie, peu d'oraisons et d'entretiens intimes avec Dieu, mais davantage de récitation de psaumes au cours des journées, récitation qui peut être d'ailleurs une prière effective et affective, cordiale et mentale, par le texte sacré, davantage d'exemples concrets pris chez les saints et de recours à leur intercession. L'Antiquité classique figure à peine : deux Plutarque, un Suétone. Il y a 8 livres d'histoire : Josèphe, les *Turcs*, la *France*, les *Etats et Empires du monde*. Et puis, un *Médecin charitable*, une *Histoire comique de Francion*, *L'Astrée*, trois fois ,enfin des *Annales villageoises*.

Les honorable homme, marchands montrent la même prédilection pour les sujets religieux dans leurs tableaux : 118 (72 %) contre 47 tableaux profanes (28 %). Les Mystères joyeux et sujets assimilés figurent toujours bien : 5 Annonciation, 1 Visitation, 6 Nativité, 5 Adoration des Mages, 1 Circoncision, 3 Baptême de Notre Seigneur, 1 Noces de Cana, (22). Les Mystères douloureux ou sujets assimilés dominent toujours : 1 Agonie au jardin des Oliviers, 1 Flagellation, 4 Ecce Homo, 20 Crucifixion, 3 Descente de Croix, 2 Mise au tombeau (31). Les Mystères glorieux ne peuvent être ignorés mais ils n'inspirent pas la vie intérieure : 1 Résurrection, ni Ascension, ni Pentecôte, 1 Assomption, 1 Couronnement de la Vierge. Les saints sont vénérés en nombre, 22 saints, dont saint Charles Borromée et saint Louis, toujours en tête sainte Madeleine, la pécheresse repentie (14).

Dans les tableaux profanes, nous trouvons un seul portrait du roi, 4 tableaux mythologiques, 20 paysages, 6 saisons, 2 enfants, 2 courtisans, etc. Ni l'Antiquité, ni la politique ne semblent préoccuper nos marchands, mais la campagne les attire.

Vingt-six de nos honorable homme, marchand ont des tapisseries, pour une valeur de 1 454 livres. Mais 4 tapisseries sont évaluées à elles seules 1 000 livres. Un marchand bourgeois de Paris possède une tapisserie de Flandres représentant de grands personnages, évaluée 400 livres. Un marchand tapissier bourgeois de Paris a une tenture d'Auvergne, 230 livres. Chez un honorable marchand fripier l'on trouve plusieurs tapisseries, malheureusement non décrites, pour 221 livres. Un marchand drapier bourgeois de Paris reposait ses yeux sur des oiseaux et des scènes de chasse, évaluées 150 livres. Il restait donc fort peu de choses pour les autres membres de la strate.

En somme, si nous récapitulons ce qui concerne les livres pour ces cinq premières strates, celles des gens chez qui, incontestablement, l'activité de l'esprit l'emporte sur les travaux manuels, nous trouvons que 63 % des messire ont des livres, 33 % des écuyer, 55 % des noble homme, c'est-à-dire qu'à l'exception des simples gentilshommes, la possession des livres et la culture supposée de l'esprit suit à peu près le statut social et la situation de fortune. En ce qui concerne la religion qui, officiellement, domine la vie des hommes de ce temps, ont des livres de piété 6 sur 9 de ceux des messire qui ont des livres, 1 sur 9 des écuyer, 6 sur 10 des noble homme, 11 sur 15 des maître (avant-nom), 14 sur 15 des honorable homme. C'est-à-dire que les préoccupations religieuses seraient plus vives chez des gens de niveau moyen, gens de loi et grands commerçants. Mais la religion semble encore avant tout affaire de transmission orale. Si nous examinons la répartition des livres de piété, nos 6 messire ont une Bible, 2 Vies des Saints, 2 bréviaires, un Livre d'Heure, un Psautier, et les *Lettres de consolation* de David Hommet. Un seul donc avait la possibilité d'aller chercher directement la Parole de Dieu, de constater directement les actes, les paroles, les états de Notre Seigneur Jésus-Christ. Les bréviaires, le Livre d'Heures, et le Psautier permettaient éventuellement à d'autres de retrouver Dieu par les Psaumes et l'esprit de l'Eglise. Notre écuyer a une *Vie des Saints* qui sont des reflets de Jésus-Christ. Nos 6 noble homme ont 6 *Bibles,* 1 *Vie des Saints,* 2 bréviaires, un *catéchisme de Grenade,* une *Institution* du Père Coton, une *Instruction de Notre Seigneur.* Ce sont ceux qui paraissent le mieux armés, relativement, pour aller à Dieu. Les 11 maîtres (avant-nom) ont 5 *Bibles,* 6 *Vie des Saints,* 1 *Psautier,* 1 « *Prières d'Eglise* », 1 « *des excellentes perfections immortelles de l'âme* ». Les 14 honorable homme ont 3 *Bibles,* 2 *Nouveaux Testaments,* 14 *Vies des Saints,* 1 *Vie de Jésus,* 1 *Office de la Sainte Vierge,* 1 *Vie des Saints Pères Ermites,* 1 livre des *Sermons,* 1 *Considérations spirituelles.* Ils passent donc plutôt par l'intermédiaire des exemples des saints.

Si nous examinons la répartition des autres livres nous constatons que l'histoire se trouve partout sous la forme politique et dynastique. L'Antiquité vient ensuite avec des livres dans toutes les strates, sauf celle des écuyer. Vient ensuite la théologie chez les messire, les noble homme, les honorable homme, le droit chez les noble homme et les maître (avant-nom), livres de profession ; les auteurs littéraires contemporains chez les noble homme et les maître (avant-nom), les livres d'art seulement chez les noble homme. Les sciences exactes et naturelles sont absentes. La catégorie des noble homme est celle où l'on trouve toutes les sortes de livres de cette civilisation : 2 ont des ouvrages de théologie, 1 des auteurs classiques de l'Antiquité, 5 des livres d'histoire, 6 des livres de droit, 2 des livres d'art, 3 des ouvrages d'auteurs contemporains. Dans l'ensemble les officiers et les gens de loi l'emportent par la diversité et l'ampleur des préoccupations, non par le nombre des livres.

Pour les dernières strates sociales, la sixième, celle des simples marchands, maîtres de métiers supérieurs et boutiquiers, la septième, celle des maîtres de métier, la huitième, celle des compagnons de métier, la neuvième, celle des sans qualité, domestiques et gens de métier, généralement arrivés depuis peu à Paris, il est assez difficile de tirer des inventaires après décès des renseignements sur les mentalités. Les livres sont en somme, peu fréquents : 18 % des marchands en ont, 20 % des maîtres, 14 % des compagnons, 9 % des sans qualité et ce sont uniquement des domestiques. Les tableaux sont plus répandus, 58 % des marchands en possèdent, 71 % des maîtres, 25 % des sans qualité, aucun des compagnons. Le milieu des maîtres souvent héréditaires dans le statut, bien que moins fréquemment dans le métier, apparaîtrait plus cultivé que celui des marchands, mais dans le relevé de ces derniers, possesseurs de livres et de tableaux, l'on a inclus ceux qui ont marqué la qualité, ce qui fait baisser les proportions qui concernent ceux qui sont socialement de vrais marchands.

Pour ceux qui ont livres et tableaux, les sujets des uns et des autres ne sont généralement pas indiqués. Pour les tableaux, quand le sujet est connu, il s'agit d'habitude de Crucifixion, de Vierge et de Madeleine, ce qui suggérerait la même orientation du sentiment religieux que pour les strates plus élevées. Pour les livres, dans la moitié des cas, ce sont des livres de dévotion, sans que l'on puisse guère aller plus loin. Pour un seul maître de métier il est indiqué une Bible.

Pour ces strates inférieures se posait encore plus le problème des signatures au bas des contrats de mariage. La présence ou l'absence de la signature a d'ailleurs surtout une signification négative. Qui ne sait même pas signer son nom est totalement illettré ! Qui sait signer ne sait peut-être pas écrire et peut très bien ne pas savoir lire, tout au moins de façon courante et donc utile.

Si nous considérons la sixième strate, celle des marchands, sur 68 époux, 58 signent, 85 % ; sur 68 épouses, 37, 54 %. Parmi les pères des époux, 24 sont décédés ou absents, restent 44 dont 12 ont signé soit 27 %. Pour les mères des époux, 20 sont décédées ou absentes. Des 48 restantes, 4 ont signé soit 8 %. Parmi les pères des épouses, 18 sont décédés ou absents. Sur les 50 qui restent, 17 ont signé soit 34 %. Quant aux mères des épouses, 14 sont absentes ou décédées. Sur les 54 restantes, 14 ont signé soit 26 %.

Dans la septième strate, celle des maîtres de métier, sur 195 époux, 147 signent, 75 %, 79 seulement des épouses, 41 %. 73 des pères des époux sont décédés ou absents. Il en reste 122 sur lesquels 36 ont signé, soit 30 %. Les mères des époux, 59 sont décédées ou absentes. Sur 136 qui restent, 20 ont signé, 16 %. 80 des pères des épouses sont décédés ou absents. Des 115 présents, 46 ont signé, 40 %. Parmi les mères des épouses, 66 sont décédées ou absentes.

Sur 129 présentes, 18 ont signé, soit 14 %. Les conclusions sont donc les mêmes que pour les marchands.

La VIIIe strate, celle des compagnons, nous offre 79 mariages. Sur les 79 époux, 49 signent, 62 %, 17 épouses, 22 %. 46 pères des époux sont présents, 3 signent, 7 % ; 48 mères des époux, dont aucune n'a été capable de signer et une a fait une croix. Sur 35 pères des épouses présents, 8 ont signé, 23 % ; sur 51 mères des épouses, aucune n'a signé, une a fait une croix.

Chez les « sans qualité » dans la IXe strate, parmi 245 mariages, 137 époux signent, 56 % et 56 épouses, 23 %. 190 pères des époux sont présents, 31 signent, 16 % ; 156 mères des époux, dont 12 signent, 8 %. 126 pères des épouses sont présents, 31 signent, 25 % et 162 mères des épouses, dont 20 signent, 12 %.

Par conséquent, l'alphabétisation diminue régulièrement lorsque nous descendons la hiérarchie sociale. Semble faire exception la IXe strate, un peu plus alphabétisée que la VIIIe, mais c'est à cause de la présence des domestiques, qui souvent savent signer. Proportionnellement les caractères sont semblables pour toutes les strates. Nos mariés sont donc, en moyenne, plus instruits que leurs épouses. C'est la même chose pour les pères des uns et des autres par rapport aux mères. L'alphabétisation de nos mariés a progressé par rapport à la génération précédente. Les parents des épouses paraissent en moyenne plus instruits que les parents des époux.

Le niveau d'alphabétisation varie selon les métiers. Il est très élevé dans ceux de la santé où tous les chirurgiens, barbiers-chirurgiens et apothicaires savent signer, mais seulement 30 à 75 % de leurs épouses. Viennent ensuite, à peu près à égalité, les métiers du vêtement, de l'alimentation, et les domestiques où de 45 à 84 % des époux signent, selon leurs statut, du compagnon au marchand ; puis ceux du cuir, 38 à 71 % ; puis ceux du bâtiment, 50 % ; puis les laboureurs, 47 % ; enfin les gens de bras, 12 %.

Considérons d'ensemble le peu que les inventaires après décès nous permet d'inférer sur les mentalités, et encore avec cette réserve que le titre de bien des livres n'est pas mentionné, et que des livres courants, comme les missels latin-français à double colonne, qui existaient déjà, ne sont jamais indiqués, que l'existence des chapelets est attestée seulement quand ils ont valeur de bijoux, donc que nous avons certainement une vue partielle et donc faussée de la réalité. Nos inventaires après décès nous suggèrent une société où le livre est relativement rare et donc où c'est la transmission orale qui domine par la conversation à la table familiale, à la salle, au salon, dans la boutique, dans la rue, sous le porche de l'église, par le prône des curés, l'homélie et le sermon des prédicateurs, par les proclamations des crieurs publics. Dans la transmission écrite, n'oublions pas le rôle des placards, imprimés ou manuscrits, affichés sur la porte des églises et sur celle des salles d'audience de justice, déchiffrés par quelques-uns et transmis oralement aux autres. Cette forme de communication présente des risques de déformation et d'amplification évidents. Elle favorise un état d'émotion, une alternance d'effervescences et de dépressions. Le livre, l'outil de la réflexion, de l'approfondissement et de la critique, de la décision personnelle éclairée, est relativement cher et difficile à placer dans des logements exigus.

Parmi les livres des gens instruits, dont les mieux formés sont les magistrats et gens de loi, l'on est frappé du peu de place tenus par les auteurs classiques de l'Antiquité, à une époque où nous considérons la pensée comme dominée par les anciens. Les collèges formaient les esprits par des morceaux choisis des auteurs anciens et quelques amateurs de beau latin et de beau français continuaient à les goûter au long de leur vie ; plus rares, quelques amateurs de grec. Mais il semble que même chez ceux formés dans les collèges avant les études de droit, la pratique des auteurs anciens cesse après les études : ils n'ont chez eux qu'un petit nombre de ces livres, disparates. Leur pensée n'est certainement pas nourrie des auteurs de l'Antiquité. Quant au reste de la population, il les ignore complètement, même en traduction. L'idéologie de cette société est « moderne ».

Si nous considérons la religion catholique, religion d'Etat, nous sommes frappés ici aussi du peu de rôle relatif du livre, notamment de ce qui devrait être le livre par excellence de tous les chrétiens, la Bible, pour se nourrir de la Parole de Dieu, aussi nécessaire à la vie de l'homme que le pain, parfois plus nécessaire. Là aussi, la liturgie étant en latin, et les missels bilingues semblant rares, l'essentiel de la nourriture devait provenir du sermon, des instructions données par le prêtre au moment de la confession personnelle des péchés, avant le sacrement de pénitence, et naturellement de ce qui en était transmis aux enfants et adolescents par les grands-mères et par les mamans. La plupart des Parisiens devaient mal connaître leur religion. La foi pouvait être vive et la charité fervente. Il est à craindre qu'elles aient été peu éclairées. Il est vrai que les grandes pensées viennent du cœur et que l'historien ne peut mesurer l'influence du Saint-Esprit.

Si l'on en juge par les livres et par les tableaux, le catholicisme était victime d'une amputation dans les sentiments et dans les esprits. Ces documents suggèrent que toute l'attention était portée sur l'Incarnation et sur la Rédemption, les mystères du Fils de Dieu fait homme, pour partager toute la destinée de l'Homme, expiant sur la Croix, l'offense infinie commise à l'égard de Dieu par le péché originel, vrai Dieu donnant la satisfaction infinie pour l'offense infinie, vrai homme satisfaisant pleinement pour l'Homme, et cette attention portée à l'Incarnation et à la Rédemption est juste et bonne. Elle est d'ailleurs conforme à l'attention portée par le Concile de Trente au sacrifice rédempteur, au renouvellement du sacrifice de Jésus-Christ par la messe, au rôle de sacrificateur du prêtre.

Mais Incarnation et Rédemption mènent à la Résurrection, qui en est inséparable. Jésus-Christ, vraiment mort, vraiment enseveli, vraiment ressuscité, donne par sa Résurrection et par son Ascension effective au ciel dans son Corps glorieux, les derniers signes de son origine divine, de sa nature divine, de sa consubstantialité à Dieu le Père, et de sa mission, et il donne par sa Résurrection à ses disciples, unis à lui, divinisés par lui, par l'Eucharistie et par la consommation de sa chair et de son sang, l'espérance de la venue en eux du Saint-Esprit d'abord, et de leur résurrection ensuite dans leur corps glorieux au dernier jour du monde, pour aller vivre avec la Sainte Trinité la vie éternelle dans la vision béatifique, l'amour et le bonheur. Or, si le chrétien doit en ce monde, prendre sa croix et la porter derrière le Christ, ce qui est inséparable de son adhésion aux souffrances du Christ en croix, de son consentement à cette vie terrestre d'épreuves et de souffrances à l'image du Dieu fait homme, c'est l'espérance de la résurrection bienheureuse à l'image du Dieu fait homme, c'est la foi en la vie bienheureuse avec la Sainte Trinité dans la charité toute pure qui lui montre le but et qui le soutient. Or, la pensée habituelle de ce couronnement de la vie chrétienne, propre à pénétrer déjà cette vie terrestre de charité, c'est-à-dire d'amour, et qui est donc propre à faire dépasser l'idée de salut, c'est-à-dire de devoir, pour faire dominer l'essence du christianisme, c'est-à-dire l'amour, et donc le don de soi, cette pensée habituelle semble absente chez nos Parisiens. Ils connaissaient certainement le dogme, sans le vivre. Tout se passe comme si, chez eux, l'idée de salut, donc de devoir, donc la préoccupation de soi, l'anthropocentrisme, l'emportait encore, malgré Bérulle, et reléguait au second plan, la charité, l'amour, le don total de soi à Dieu et au prochain, le théocentrisme. La Renaissance catholique serait-elle demeurée le fait d'une petite élite, d'un petit reste ?

Que dire alors de tous ceux qui n'avaient ni livres, ni tableaux, et sur les orientations desquels nous n'avons aucune lueur ? Le Saint-Esprit peut apporter toute révélation à qui Dieu veut et faire vivre en excellent chrétien celui qui répond à la grâce de Dieu, sans livre et sans tableau. N'est-il pas à craindre cependant que beaucoup soient restés des chrétiens assez tièdes, assez repliés sur eux-mêmes, que beaucoup aient agi et pensé pratiquement comme des païens ou même comme des athées ?

Ce sont les réflexions que suggère une seule source. Il est évidemment nécessaire de les contrôler par d'autres sources.

CHAPITRE VII

QUELQUES CAS TYPIQUES

Bien que notre travail soit sans prétention statistique, nous avons été amenés à donner beaucoup de chiffres, à présenter beaucoup de moyennes. Nous craignons qu'il n'en résulte un excès d'abstraction et nous désirons nous rapprocher du réel, du vivant, en montrant quelques personnes. Parmi les indiivdus que les documents nous permettaient de reconstituer, nous avons choisi non pas, bien entendu, ceux qui paraissaient exceptionnels et pittoresques, mais ceux qui semblaient typiques.

I. — Dans la première strate sociale, celle des « messire, chevalier », nous avons retenu messire Pierre Poncher, conseiller du roi, maître ordinaire en sa Chambre des Comptes (Ire strate, 3e niveau), mort le dimanche 26 mars 1634 (1).

Pierre II Poncher était le fils de Pierre Poncher, d'abord honorable homme, marchand, bourgeois de Paris, en 1587, échevin de la ville de Paris en 1590, qui abandonna le commerce et après avoir vécu de ses rentes, noblement, pu acheter une charge anoblissante de conseiller notaire et secrétaire du roi, maison et couronne de France, dont il fut pourvu le 12 décembre 1597. Il devint alors maître Pierre Poncher.

Pierre Poncher II, alors qu'il n'était encore que le fils d'un honorable homme, épouse le 21 mai 1587, la fille d'un autre honorable homme, marchand, bourgeois de Paris, Marguerite le Prestre, En vue de ce mariage, son père lui donna les moyens d'acquérir une charge d'auditeur à la Chambre des Comptes. Les auditeurs formaient non seulement le niveau professionnel inférieur des magistrats de la

---

(1) — *Archives nationales,* Minutier central des notaires parisiens, étude LXXXVI, liasse 126, contrat de mariage de Pierre Poncher, avec Marguerite Leprestre ; étude XVI, liasse 167, inventaire après décès de Pierre Poncher, 10 avril 1634.

— *Bibliothèque Nationale,* Cabinet des Titres, pièces originales 2327, copies d'actes de notaires et de pièces provenant des commissaires du Châtelet, notamment nos 246, 250, 281, 377, 399.

— Registres de délibérations du bureau de la Ville de Paris, X, p. 272 (Histoire générale de Paris).

La famille de ce Pierre Poncher est tout à fait distincte des Poncher dont sont sortis Etienne Poncher, évêque de Paris, Garde des Sceaux de France (1512-1514), archevêque de Sens (1519) et Jean Poncher, son frère, argentier des rois Charles VII et Louis XII.

Chambre des Comptes, mais encore, socialement, ils se plaçaient à un niveau nettement inférieur à celui des maîtres. Aussi, en 1597, Pierre II acquit-il une charge de maître à la Chambre des Comptes, moyennant 10 500 livres tournois sur lesquelles son père lui prêta 2 000 livres, non sans répugnance et non sans lui avoir « plusieurs fois remontré qu'il n'y avait pas de prudence à hazarder tant d'argent en un office mortel », c'est-à-dire qui pouvait revenir au roi en cas de décès de Pierre II, au détriment de ses héritiers. Mais, en 1604, l'institution de la Paulette devait enlever ce souci aux Poncher. Pierre Poncher II, auditeur, était maître. Il devint « noble homme, maître », puis, en raison de la dévaluation des titres, messire, chevalier, seigneur de. L'acquisition de l'office de notaire et secrétaire du roi par son père coïncida avec l'achat de sa charge de maître des Comptes, car il ne convenait pas qu'un officier royal du rang de maître des Comptes eût un père seulement rentier, même anobli par l'exercice de la fonction d'échevin de Paris.

De son mariage avec Marguerite Le Prestre, Pierre II, avait en tout trois enfants. Un mourut en bas-âge. Pierre III Poncher fut d'abord commis du trésorier de l'Epargne. En 1624, son père traite pour lui de la charge de receveur général des finances à Bourges, simple transition, car, en 1628, lorsque Pierre III se maria, il était auditeur à la Chambre des Comptes, office alors d'une valeur de 57 000 livres, qu'il exerça toute sa vie. Sa sœur Marguerite entra en religion en 1607 à l'abbaye des Cordelières Sainte-Claire.

Marguerite Le Prestre mourut le 9 avril 1601. Le 2 juillet 1602, noble homme maître Pierre (II) Poncher, conseiller du roi, maître ordinaire en sa Chambre des Comptes, épousa demoiselle Henriette Hennequin, fille de feu noble homme maître Louis Hennequin, sieur de Soindre, président au bureau des trésoriers de France en Chalons-en-Champagne et de demoiselle Claude Palluau. De ce second mariage naquirent trois fils et quatre filles. L'on connaît la destinée d'un fils et des quatre filles. Le fils aîné, Henri Poncher, d'abord avocat au Parlement devint en 1634, conseiller du roi, général en la Cour des Aides. Il est « monsieur maître », seigneur de Soindre. Il épousa demoiselle Anne Lallemont, fille monsieur maître Arnoul Lallemont, conseiller du roi au Parlement et commissaire aux requêtes du Palais à Paris et de Louise Le Prestre. Sa première fille Claude, fut mariée le 20 septembre 1628, avec maître Antoine Le Clerc, sieur de Verguemont, conseiller du roi, correcteur en la Chambre des Comptes. Sa seconde fille Marie, épousa le 8 septembre 1630 monsieur maître Edouard Bouquier, sieur d'Allonville, conseiller au Parlement. Les deux dernières filles, Jeanne et Catherine, entrèrent en 1632 chez les religieuses bénédictines à Montmartre, sans doute faute de dot suffisante pour les marier. En effet, Pierre II Poncher avait donné à chacune de ses filles Claude et Marie 75 000 livresl de dot, à son fils aîné Pierre III 53 000 livres pour son office d'auditeur aux Comptes. A Jeanne et à Catherine, il ne put donner que 17 200 livres chacune, plus une pension viagère de 600 livres.

Henri Poncher eût comme enfants, messire Pierre IV Poncher, chevalier, seigneur de Beauregard, conseiller du roi et son maître d'hôtel ordinaire et messire Jean-Arnoul Poncher, chevalier, seigneur de Soindre, conseiller du roi en ses Conseils, maître des requêtes ordinaires de son hôtel. A notre époque, la famille achevait son ascension, à la quatrième génération depuis le marchand, par les offices de la maison du roi et les dignités du Conseil du roi.

Pierre I Poncher, une fois notaire et secrétaire du roi, avait acquis un fief, le moulin de la Crée, à Sèvres, et des censives à Saint-Cloud, dans les seigneuries de Louise Séguier, veuve de Charles de Longueil, dame de Sèvres, cousine du futur chancelier de France Pierre Séguier, et dans la seigneurie de l'archevêque de Paris. Pierre II Poncher continua. En 26 ans, il passa 112 contrats d'achat et 58 contrats d'échange. Il arriva ainsi à acquérir 1 094 arpents. Il possédait trois maisons à Sèvres (valeur locative 410 livres) et trois à Paris (valeur locative 880 livres). Sa résidence de la rue Sainte-Marie-l'Egyptienne, à Paris, paroisse Sainte-Eustache, représentait l'effort d'une vie. Il avait acheté le 25 septembre 1601, d'Anthoine Laynant, écuyer, sieur de Montmort, moyennant 300 livres de rente, une maison comprenant une sallette, une cuisine, une garde-robe, un grenier, un jardin. Le 7 novembre 1621, il acquérait de Johan Rolland, procureur au Parlement, une seconde maison voisine de la première comprenant deux corps d'hôtel, une cour, un jardin. Entre 1621 et 1630, il joignit les deux maisons en une seule. Il fit abattre un corps de logis, construire deux corps de logis neufs, des galeries, un escalier, un hangar, une écurie, une cuisine, une chapelle. En somme, il en fit un hôtel particulier. En 1630, il en fit don à sa fille Marie pour son mariage avec le conseiller au Parlement, mais il s'en réserva l'usufruit sa vie durant. La demeure était alors estimée 36 000 livres, aussi en 1631, louait-il trois ans un corps de logis, à demoiselle Marie de Sainte-Maris, veuve de feu noble homme Marie de Chaillon, en son vivant conseiller au Châtelet, moyennant 400 livres par an.

Pour toutes ces acquisitions Pierre I et Pierre II avaient dû emprunter beaucoup. Entre 1589 et 1633 Pierre II racheta 15 rentes, dont le principal montait ensemble à 85 495 livres, mais entre 1611 et 1627, il consttiua 18 rentes à bail d'héritage, d'un principal de 53 500 livres, pour des portions de terre, 2 arpents 283 perches, et pour trois maisons sises à Paris.

Dans sa propriété de la rue de l'Egyptienne, il occupait une salle, quatre chambres, un cabinet, une chapelle, une cuisine, une cave, une écurie, une cour.

Dans la salle, Pierre II avait un grand « lit de salle » en noyer, garni de marbre, recouvert d'une housse de tapisserie, sur lequel se mettait son épouse Henriette Hennequin pour recevoir ; six fauteuils de noyer couverts de toile, six chaises à bras et dossier de noyer doré recouvertes de tapisseries de laine de diverses couleurs, dix-huit autres chaises de noyer et tapisseries en trois séries de six, un buffet de noyer et marbre, une table de noyer à colonnes, garnie de marbre, qui se tire par les deux bouts, quelques autres meubles, une tenture de tapisserie de Flandre à grands personnages représentant le roi Massinissa et Sophonisbe, un tableau représentant la Vierge et l'Enfant Jésus.

Dans la chapelle, sur l'autel, le tabernacle était orné d'une lame de cuivre où était représentée la Passion de Notre Seigneur Jésus-Christ. Il y avait un crucifix, un bénitier en faïence, plusieurs tableaux représentant la Flagellation, la Madone, les Apôtres, plusieurs rois et reines, parmi eux Henri IV et Louis XIII, dont les portraits se trouvaient aussi dans les chambres, des ornements d'autel, des ornements sacerdotaux pour le sacrifice de la messe, aube, étole, chasuble, manipule, etc. Le 17 juin 1633, l'archevêque de Paris, Jean François de Gondi avait autorisé Pierre Poncher et Henriette Hennequin à faire dire la messe dans leur chapelle.

Pierre II Poncher possédait au moins une trentaine de volumes dans sa bibliothèque, ce qui de toute façon est discret pour un haut magistrat, mais aucun titre n'est précisé !

Son argenterie était de 85 marcs d'argent blanc et de 11 marcs d'argent vermeil, estimés ensemble 2 183 livres : 12 cuillers, 11 fourchettes, 4 flambeaux, 2 bassins, 94 jetons mais ni plats ni assiettes ; en vermeil, 2 burettes, un chandelier, une croix, sans doute pour la chapelle.

Les bijoux étaient étonnamment peu importants : une médaille d'argent doré, une croix d'or avec quatre petites perles, un anneau d'or, une agathe et une paire de bracelets d'ambre, le tout estimé 15 livres.

Pierre II Poncher avait six domestiques à son service : un homme de chambre, un laquais, un cocher, une cuisinière, une servante, une femme de charge.

Dans son écurie, il possédait un carrosse, un chariot de bois, deux chevaux noirs avec leur harnais.

Sa cave comprenait deux muids et demi de vin clairet, un muid de vin de verjus, dix chantiers de bois de chêne, un cent et demi de fagots, dix livres de sucre, cinq setiers d'avoine.

Les armes comprenaient trois mousquets, un pistolet, une épée, deux poignards, deux épieux, deux cuirasses, pour une valeur totale de 17 livres.

IIe strate. — Les écuyers. Nous prendrons ici l'exemple de François Le Peultre, écuyer, sieur de Martainville, conseiller du roi, commissaire ordinaire des guerres ayant la conduite (financière) d'une compagnie de chevaux-légers du sieur de Hure, capitaine ordinaire de cinquante chevaux-légers du roi, mort en service commandé le 30 juin 1636 au bourg de Grand-Pré en Champagne, au quartier de Monseigneur le comte de Soissons, commandant l'armée du roi en Champagne (2).

François Le Peultre était l'arrière-petit-fils de Jean Le Peultre, maître teinturier au faubourg Saint-Marcel et d'Anne Canaye, fille d'un maître teinturier. Il était petit-fils de Jacques Le Peultre, mar-

(2) *Archives nationales*, études XXIV, liasses 396 et 403, son contrat de mariage, un inventaire après décès.

Bibliothèque Nationale, Cabinet des Titres, pièces originales 2254, enquête du 7 décembre 1638, dossiers bleus 519, généalogie.

chand mercier grossier trafiquant en Flandre, c'est-à-dire négociant en toutes sortes de marchandises en gros et banquier à l'occasion, devenu sieur du Plessis-Trappay, par acquisition de cette seigneurie. Il était le quatrième enfant de noble homme Jacques II Le Peultre, conseiller, notaire, secrétaire du roi, maison et couronne de France, charge qui anoblissait le pourvu et ses descendants comme de quatre générations nobles après 20 ans d'exercice, et de demoiselle Marie Charpentier. Ses tantes, Elisabeth et Jeanne, sœurs cadettes de Jacques II avaient épousé des conseillers au Parlement de Paris, respectivement Jacques Rivouard et Jacques Pinon. François Le Peultre avait cinq frères et sœurs. Son aîné, Pierre, écuyer, sieur du Plessis, était conseiller, notaire, secrétaire du roi, maison et couronne de France. Probablement avait-il hérité la charge de son père. Le puîné, Guillaume, écuyer, sieur de Grandtmaison, était conseiller du roi, trésorier de France à Poitiers, c'est-à-dire assimilé aux magistrats des Cours souveraines.

Les trois sœurs de François étaient mariées, son aînée immédiate, Marie, troisième enfant de Jacques II, avec Louis du Chesne, écuyer, exempt, c'est-à-dire sous-officier des gardes du corps du roi, grade équivalent à celui d'un officier d'infanterie. Ses cadettes, Anne et Catherine, avaient épousé respectivement noble homme Gabriel Negret, trésorier de France à Monluis et noble homme Jacques de Ronart, contrôleur provincial des guerres en Bourbonnais.

François Le Peultre avait épousé le 22 janvier 1634 damoiselle Charlotte Dupont, fille de René Dupont, conseiller, notaire et secrétaire du roi, maison et couronne de France. La dot était de 36 000 livres dont 18 000 en une maison rue de la Tonnellerie à l'image Notre-Dame, louée à un honorable homme, marchand, bourgeois de Paris.

Les témoins au mariage allaient du haut et puissant seigneur (Ire strate, 1re niveau) aux écuyer, sieur de (IIe strate, 1er niveau). En étaient exclus les noble homme (IIIe strate) et à plus forte raison les maître (avant-nom), les honorable homme, marchand et les strates inférieures. Du côté de François Le Peultre, les témoins étaient d'abord des messires et des monsieur maître : 3 conseillers au Parlement de Paris, 1 conseiller au Grand Conseil, 1 président au Parlement de Grenoble, 1 trésorier général de France ; ensuite 3 écuyers, sieur de : 1 conseiller notaire secrétaire du roi, 1 conseiller au Châtelet, 1 exempt des gardes du corps. Les témoins de Charlotte Dupont étaient d'un ordre encore plus relevé : haut et puissant seigneur messire René Potier, chevalier des Ordres du roi, capitaine des gardes du corps de Sa Majesté, comte de Tresmes et haute et puissante dame Marguerite de Luxembourg, son épouse ; messire Bernard Potier, chevalier, seigneur de Blérancourt, gouverneur pour le roi des villes de Péronne et de Ponteaudemer ; messire André Potier, sieur de Novion, conseiller du roi en ses Conseils, président en sa Cour de Parlement ; en plus un monsieur maître, conseiller au Parlement et commissaire aux requêtes du Palais ; un écuyer, sieur de, lieutenant au régiment de Navarre, un écuyer, sieur de, conseiller et maître d'hôtel ordinaire de la reine, un écuyer, sieur de, trésorier général de la reine ; 3 messires de l'Ordre ecclésiastique, 1 abbé et 2 chanoines.

François Le Peultre mourut jeune, à l'armée, laissant une petite fille de 17 mois et sa femme enceinte d'un enfant qui naquit 4 mois et demi plus tard. La fortune était donc encore en voie de formation. Il possédait sa charge de commissaire ordinaire qu'il avait achetée le 21 janvier 1628 pour 38 000 livres sur résignation de messire Augustin de Bonsergent, sieur de Charre. La valeur de l'office constituait 42 % de la fortune. Les terres comprenaient le lot situé à Argenteuil, et échu à François le 22 mars 1634, à la suite du décès de son père Jacques II : 30 arpents 18 perches de prés, vignes, terres labourables, bois, en 35 pièces, et 6 maisons, plus la maison de Paris apportée en dot, mais qui restait propre à Charlotte Dupont. François possédait encore un principal de 12 908 livres en rentes. Enfin, son mobilier et tout ce que contenaient ses maisons pouvait être évalué à 9 747 livres, en tout 91 000 livres environ.

A Paris, François Le Peultre était locataire du deuxième étage dans une maison située rue des Bourdonnais, paroisse Saint-Germain-l'Auxerrois : une chambre, un cabinet, un grenier. A Argenteuil, il était locataire d'une maison comprenant salle, chambre, écurie, cave. Une seule servante est nommée, Isabelle Fayond. Mais François Le Peultre devait avoir un cocher, puisqu'il disposait d'un carosse à quatre roues garni d'écarlate rouge et de deux chevaux bai brun, l'ensemble évalué 700 livres.

Il avait une belle argenterie, 56 marcs évalués 1 196 livres : 12 fourchettes, 12 cuillers, 12 assiettes, 3 flambeaux, 1 bassin, 3 aiguières, 1 coquemart, 160 jetons.

Il jouissait d'un certain luxe, un coffre de nuit, fermant à clef, de velours rouge cramoisi garni de passements d'or et d'argent, avec la toilette de même velours, sept pièces de tapisserie d'Auvergne à Bocages, d'une valeur de 200 livres, une tenture de Bergame, d'une valeur de 35 livres, un miroir de glace de Venise dans un cadre d'ébène d'une valeur de 12 livres, des tableaux.

Il laissait à Paris, 958 livres en argent comptant, en pistoles et écus d'or ; à Argenteuil, des réserves, du bois dont 50 fagots, 1 242 bottes de foin, 10 muids de vin clairet d'Argenteuil de 1635, 11 muids d'autre vin.

III. — Dans la troisième strate deux exemples qui se complètent, nous semblent nécessaires. D'abord celui de noble homme, Jacques III Sallé, conseiller du roi, auditeur en la Chambre des Comptes (3). Il était petit-fils de noble homme Jacques I Sallé, conseiller du roi, substitut du procureur général du roi au Parlement de Paris, fils de noble homme, Jacques II Sallé, conseiller du roi, auditeur en la Chambre des Comptes, et de Marie Le Bossu, fille de Simon Le Bossu, conseiller du roi, maître ordinaire en la Chambre des Comptes. Il ne semble pas que Jacques III Sallé ait été marié et nous ne connaissons

(3) *Archives nationales*, Minutier central des notaires parisiens, étude XVI, liasse 70, inventaires des 27 et 28 avril 1635.

la situation de cette famille de magistrats que par les inventaires après décès de son père et de son grand-père effectués en 1635, en deux jours successifs.

Jacques II et Jacques III n'avaient ni frère, ni sœur. Les trois générations vivaient ensemble dans une maison de la rue Quinquempoix, paroisse Saint-Nicolas-des-Champs. La maison comprenait une salle, trois chambres, un cabinet, un garni, une cave. Leur intérieur paraît relativement confortable. La cave contient du bois pour 52 livres tournois de vin de champagne. Le matériel de cuisine est abondant, sans étain sonnant, mais avec une fontaine de cuivre. Le mobilier de noyer et de hêtre est abondant. La salle renferme quatorze chaises de vertugadin garnies de tapisserie bordée de franges de soie, un fauteuil et six escabeaux de noyer avec même garniture. Les murs sont ornés de tableaux et de tapisseries, une tapisserie des Flandres à personnages, deux tapis de Turquie, un petit et un grand. Les trois tableaux représentent une sainte Madeleine, une sainte Elisabeth, une Sainte Vierge. Le mobilier est évalué 828 livres.

Les Sallé possèdent une résidence campagnarde à Dommartin. Ils ont une grande salle, deux chambres, une cuisine, une écurie et remise, une cour. Les meubles de chêne et de noyer sont évalués 573 livres. Deux tableaux représentent respectivement Orphée et une Descente de Croix. L'écurie renferme un carrosse sur quatre roues, doublé de drap rouge, garni de coussins noirs, évalué 300 livres, un charriot et une carriole, et deux chevaux bais avec leurs harnais de carrosse, évalués 350 livres.

L'argenterie est évaluée 1 367 livres : 1 grand bassin rond, 2 salières à rouleaux, 1 petit chandelier, 2 chandeliers, 2 grands flambeaux, 12 assiettes, 13 cuillers, 12 fourchettes, 2 cassolettes, 1 croix, une véritable vaisselle plate.

Les Sallé possédaient pour 489 livres tournois de perles.

La bibliothèque de Jacques I comptait 272 volumes, évalués 214 livres tournois dont le titre n'est généralement pas indiqué. On y trouve la *Sainte Bible,* 12 in-folio de *droit canon,* 3 in-folio des *Edits des rois de France,* 3 in-folio des *Coutumes particulières des rois de France,* et de l'histoire, des in-folio, *Théâtre de l'Univers, Portraits des hommes illustres, Histoire de la décadence de l'Empire grec, Histoires de Froissart, Histoires des guerres d'Italie,* tout ceci assez normal chez un magistrat d'une Cour souveraine, mais les volumes de plus petit format nous échappent.

Les Sallé étaient officiers royaux et membres d'une Cour souveraine. Prenons maintenant l'exemple d'un avocat. Il s'agit de noble homme François Brillet, avocat en Parlement, qui, utilisant une fonction d'auxiliaire de la justice non dérogeante à noblesse, et une seigneurie, propriété douée de puissance publique, dédaigne les offices et tente de faire passer sa famille directement de la seigneurie à l'épée (4).

---

(4) *Archives nationales,* Minutier central des notaires parisiens, étude XXXV, liasse 31, contrat de mariage, étude XLI, liasse 172, inventaire après décès. *Bibliothèque Nationale,* Cabinet des Titres, pièces originales 519, dossiers bleus 136.

Il était le fils de noble homme Pierre Brillet, sieur de Limont, secrétaire de la chambre du roi, et de Catherine du Peyrat, fille d'un avocat en Parlement. La terre et seigneurie de Limont était entrée dans la famille Brillet en 1567. C'était un fief mouvant du roi à cause de son domaine de Châteaufort. Les Brillet en ont à plusieurs reprises rendu foi et hommage au roi. Mais de la seigneurie de Limont relevaient plusieurs fiefs dont les tenants rendaient foi et hommage aux Brillet, insérés de cette façon dans la hiérarchie féodale.

Pierre Brillet eût trois enfants. Son aîné, François, est notre avocat. Sa fille Catherine épousa noble homme Antoine Regnant, sieur de Montmort, avocat au Parlement, un cousin. Son fils cadet, maître Louis Brillet, fut également avocat en Parlement.

François Brillet épousa le 29 septembre 1615 Marie Le Prestre. Elle était fille de maître Jehan Le Prestre, conseiller du roi, auditeur à la Chambre des Comptes et de Madeleine d'Alesso. Elle était nièce de Marguerite Le Prestre, sœur de Jehan, épouse de Pierre Poncher, maître des Comptes, étudié plus haut.

A son mariage, noble homme François Brillet, prit aussi la qualité d'écuyer. Parmi ses témoins se trouvaient deux neveux, trois cousins, dont un écuyer, sieur de et quatre noble homme. Ses amis comprenaient des magistrats de finances : un auditeur à la Chambre des Comptes, un conseiller en la Cour des Monnaies et des officiers comptables : un contrôleur général de la maison du roi, un receveur général du taillon à Soissons. Les témoins de Marie étaient, sauf un prêtre, tous des officiers et presque tous des « noble homme » : un audiencier en la Chancellerie ; un maître à la Chambre des Comptes, Pierre Poncher ; deux correcteurs à la Chambre des Comptes ; un conseiller au Châtelet ; enfin un dignitaire de maison princière, membre du Conseil du duc de Lorraine.

François Brillet et Marie Le Prestre eurent 7 enfants, 4 fils et 3 filles, tous mineurs au moment de la mort de leur père, le 30 juin 1636. Le sort de cinq d'entre eux est connu. Le fils aîné et le fils cadet embrassèrent la carrière des armes. Claude Brillet, sieur de Limont, devint capitaine au régiment d'Auvergne, Anne Brillet, sieur de Mérantes, capitaine au régiment de Bretagne. Par eux, la famille monta dans la IIe strate sociale. Le second et le troisième fils, entrèrent dans les Ordres religieux : François II Brillet, fut chanoine régulier de Saint-Victor-les-Paris, Etienne Brillet, prieur de Saint-Loup de Provins. La fille aînée, Marie, épousa Joseph Charlot, sieur de Princé, d'un « état » inférieur de la IIe strate sociale.

François Brillet resta avocat toute sa vie, peut-être parce qu'il se soucia surtout de son fief royal de Limont. Un accord familial de 1610 lui laissa la terre et seigneurie de Limont en toute propriété. Il se conduisit noblement. Il reçut à différentes époques entre 1616 et 1636 les foi et hommage des fiefs qui relevaient de la seigneurie de Limont : le fief de Mérantes, le fief et seigneurie de la Ville du Boys, la terre et seigneurie de Voisins, la maison seigneuriale du hameau d'Orsigny, le quart du fief d'Orsigny, la terre et fief d'Apentys, la terre et seigneurie d'Argentis. Parmi ses vassaux, nous relevons messire Pierre Poncher, chevalier, seigneur d'Orsay, conseiller du roi en ses Conseils d'Etat et privé, messire Guillaume Pichorel, conseiller du roi, maître en Chambre des Comptes, Louis Delay, écuyer, sieur de Ventellet, messire Bourdin, conseiller du roi et son maître d'hôtel ordinaire, Barthélemy Savormy, et son fils Alexandre, tous deux écuyer, sieur de, et aussi un régent au collège de Brancourt, et un bourgeois.

François Brillet se réserva toujours le manoir seigneurial de Limont, son clos avec les arbres fruitiers, son jardin, ses vignes. Mais il loua à un laboureur, en baux successifs de 9 ans, la basse-cour et ferme de Limont, maison, granges, étables, bergeries, cour, jardin, terers labourables, prés, friches, une grande pièce de bois taillis, moyennant 700 livres par an, 12 douzaines de pigeonnaux, 6 clapiers, 2 boisseaux de marrons, 2 setiers d'avoine, 300 bottes de foin, 4 journées de voiture de Limont à Paris. L'ensemble de la terre et seigneurie, acquise en 1567 pour 6 400 livres, était évalué 18 000 livres.

François Brillet avait hérité quatre maisons à Paris, toutes données en location : une, rue des Gravilliers, louée 135 livres à un marchand fripier ; une, rue de Grenelle (sur la rive droite), 240 livres à un maître tailleur d'habits ; une, rue de Beaubourg, 250 livres, à un maître menuisier ; une, cul de sac de la rue de Beaubourg, 160 livres, à un secrétaire de la chambre du roi.

Il possédait des rentes, 45 600 livres de principal, surtout sur le roi, sur les aides et gabelles (3 600), sur les gabelles (32 000 livres), sur le sel (8 000 livres) et sur deux particuliers (1 200 et 800 livres).

Sa maison seigneuriale de Limont comprenait une salle, une chambre, une garde-robe, une cuisine, un grenier, un cellier, un bûcher, une cave. Le mobilier en était estimé 201 livres.

François Brillet occupait une maison située rue des Quatre-Fils, paroisse Saint-Jean-en-Grève. Qu'il en fut propriétaire ou locataire reste incertain. Sa résidence était composée d'une salle, de quatre chambres, d'une cuisine, d'une cour, d'une écurie, d'un grenier. Le mobilier de chêne et de noyer, était estimé 928 livres. La salle était meublée de bois de noyer : une table « assise sur son châssis », garnie d'un tapis de Turquie, un buffet, une petite table pliante, un petit lit de repos, deux fauteuils, six chaises à vertugadin couvertes de tapisseries de laine, six escabeaux pliants, une paire de chenets de cuivre, une tenture de satin.

L'ensemble des tapisseries de François Brillet était estimé 383 livres. L'une d'elles, de haute lisse, avec l'histoire de David, était évaluée 300 livres. Un seul tableau est noté, une Visitation. L'argenterie pèse 29 marcs et a été estimé 643 livres. On note onze cuillères, six fourchettes, 1 chandelier d'étude, une aiguière, mais ni les plats, ni les assiettes, ni les flambeaux qui caractérisaient l'argenterie des messires. Aucun bijou n'est indiqué. Il est à croire que les bijoux ont été soustraits à l'inventaire. De même, bien que François Brillet dispose d'une écurie, aucun carrosse, aucun cheval n'est mentionné. Mais il a des armes, pour 24 livres : deux armures noires, un corselet, un morion, une arquebuse. Les réserves sont modestes : une raye de bois de corde, un cent de fagots. Dans la maison seigneuriale de Limont, il y a du bois à brûler et 400 livres de foin. L'argent comptant se monte à 14 000 livres.

La domesticité est importante relativement : un percepteur, un laquais, quatre servantes « domestiques ».

François Brillet avait une bibliothèque évaluée 264 livres. Les livres religieux comprenaient une *Bible*, les œuvres de Tertullien, de saint Augustin et de saint Jérôme en édition in-folio, l'*Institution catholique* du jésuite Coton, le confesseur d'Henri IV.

Les auteurs classiques de l'Antiquité étaient représentés, en grec, par Homère et Démosthène ; en latin, par Virgile, Cicéron, César, Tite-Live, Pline. Pour la philosophie, une traduction latine d'Aristote, les œuvres de Sénèque et les ouvrages philosophiques de Cicéron.

Parmi les livres de droit, nous trouvons : un *Corpus juris civilis*, un *Codex Theodosiani*, un *Corpus canonicum*, les *Ordonnances* de Fontanon, un *Code Henri III*, un *Coutumier général de France*, les œuvres d'Alciat, deux volumes de Cujas, les œuvres de Chopin, donc un ensemble dominé par l'esprit du droit romain rénové par les humanistes.

L'histoire abonde avec ses prolongements politiques : *Histoire* de Josèphe, *Histoire de l'Eglise* de Nicéphore, *Histoire de l'Eglise* d'Eusèbe, *Histoire* de Paul Joves, œuvres de Guillaume Budé, *Mémoires* de Commynes.

Notre avocat a même un ouvrage d'art : le recueil d'architecture de Vitruve.

Récapitulons la fortune de François Brillet, qui compte plusieurs catégories de biens, sauf les offices, et ce qui touche au négoce et à la fabrication. Il a sa profession, dont nous ignorons le rapport, sa seigneurie, évaluée 18 000 livres, ses quatre maisons de Paris, dont l'estimation monte à 15 700 livres, mais tout ceci loué, transformé en rentes. Il possède des rentes proprement dites, pour 45 600 livres. Son intérieur contient des meubles et objets pour 17 206 livres. Il a des « dettes actives » ou créances pour 1 457 livres, 14 000 livres d'argent comptant. Sa fortune se monte donc à près de 105 000 livres. Mais là dessus les terres et maisons ne comptent que pour près de 34 000 livres (30 %) et le mode d'utilisation fait de notre homme un rentier, rentier du sol, rentier de l'Etat, rentier de particuliers.

IV. — Dans la strate des maîtres (avant-nom), les Sirejean nous fourniront un très bon exemple de procureurs du premier état (5).

Chez les Sirejean, le grand-père, maître Claude Sirejean était procureur à Langres. Il eût trois enfants. L'aîné, messire Prudent Sirejean, fut curé à Langres. La seconde, Catherine, épousa maître Roger, avocat au Parlement de Paris. Le dernier, Guillaume, devint procureur au Parlement de Paris et maître Guillaume Sirejean. Il épousa en 1584 Jeanne Daverdoing, fille aînée de maître Simon Daverdoing, procureur au Parlement de Paris. La sœur de Jeanne, Espérance, épousa maître Pierre Pasquier, procureur au Parlement, l'autre, André, procureur à la Chambre des Comptes.

(5) *Archives nationales*, étude LIX, liasse 95, inventaire après décès de Guillaume Sirejean le jeune, 7 février 1634 ; étude XXXI, liasse 157, inventaire après décès de Guillaume Sirejean, son père, 23 juin 1636.

Espérance eut une fille Anne Pasquier, qui se maria avec maître François Ollivier, procureur au Parlement.

Guillaume et Jeanne eurent six enfants. L'aîné, messire Claude Sirejean, devint docteur en théologie et curé de l'église des Saints-Innocents. Le second, noble homme Charles Sirejean, devint avocat au Parlement et épousa en 1633 la fille d'un notaire. Le troisième est notre maître Guillaume Sirejean le jeune, procureur au Parlement. Il prit pour femme, par contrat du 25 avril 1627, Elisabeth Testu, fille d'un procureur en la Chambre des Comptes. Des trois sœurs de Guillaume le jeune, Jeanne épousa maître Jean du Laurent, procureur au Parlement, Anne se maria avec maître Antoine Vizinier, conseiller du roi, contrôleur général des domaines en la généralité de Soissons. Il ne resta à la dernière, Gabrielle, qu'à se faire religieuse.

Elisabeth Testu, veuve de Guillaume Sirejean le jeune en 1634, était remariée en 1636 avec maître André Maslon, procureur au Parlement.

Certains procureurs poussaient donc loin l'esprit de corps. La fortune au mariage de Guillaume Sirejean et d'Elisabeth Testu était en 1627 de plus de 30 000 livres. La dot était de 18 000 livres et Guillaume apportait 12 000 livres, plus la valeur de son office de procureur.

Les Sirejean, procureurs, père et fils, se partageaient une maison rue du Tour, comprenant deux corps d'hôtel et une cour. Guillaume le père se servait de trois chambres, une garde-robe, un galetas, un grenier, une cave, un cellier. Guillaume le jeune occupait deux chambres, un cabinet, deux garde-robes dont une servant de cuisine, un grenier.

Guillaume le père avait un mobilier modeste estimé 91 livres. Il y ajoutait dix-sept tableaux, prisés 11 livres 10 sols, dont un portrait d'Henri IV, une Annonciation, un Miracle de Jésus-Christ, une Crucifixion, une Descente de croix, enfin un sujet mythologique, Prométhée enchaîné. Une pièce était entièrement tendue de tapisserie des Flandres, estimée 300 livres, et son parquet recouvert de deux tapis de Turquie, évalués 28 livres. Les autres pièces étaient également tendues de tapisseries, de valeur rouge à ramages sur fonds d'or, de damas rouge à fonds d'or et d'argent. La vaisselle était abondante. Les réserves honnêtes : du bois, du vin, des chandelles, des noix d'Espagne. Le linge, de chanvre plus que de lin, était prisé 301 livres. L'ensemble de ces biens meubles était estimé 1 142 livres.

Mais il s'y ajoutait de l'argenterie : 22 cuillères, 17 fourchettes, 2 bassins, 4 salières, 1 gobelet, 1 vinaigrier, 1 saucière, 1 écuelle, 1 tasse, 1 paire de mouchettes, 1 bénitier, pour 1 323 livres.

Les bijoux étaient évalués à 505 livres : 1 collier de perles à 4 rangs estimé 100 livres, 5 anneaux d'or avec diamant et émeraude, 2 chaînes d'or, 2 montres dont une sonnante.

L'argent comptant ne manquait pas : 5 341 livres.

Guillaume Sirejean le Jeune et Elisabeth Testu avaient un intérieur moins confortable, mais témoignant aussi d'une aisance. Les meubles de chêne et de noyer étaient estimés 545 livres. Un cabinet se trouvait entièrement tendu d'une tapisserie de Bergame estimée 21 livrs. Treize tableaux ornaient les murs, dont une Vierge, une Madeleine, une sainte Geneviève, deux représentant des enfants, deux des courtisanes. Deux épinettes manifestaient un goût pour la musique. Une vingtaine de livres sont indiqués, dont six traitant de sujets de dévotion. L'argenterie est évaluée seulemenlt à 662 livres : 2 bassins, 1 aiguière, 1 salière, 1 sucrier, 2 écuelles, 2 plats, 2 paires de mouchettes, 14 cuillères, 12 fourchettes, 4 flambeaux. Les bijoux sont évalués 575 livres : un collier de perles de 500 livres, un anneau d'or enchassé d'un diamant de 75 livres. Les deniers comptants sont de 90 livres. Les réserves, moins abondantes que chez le père, existent : bois, charbon, vinaigre, sel. Il y a chez les deux hommes un confort et une facilité de vie relatifs.

V. — Dans la cinquième strate, Philippe Bruslé, honorable homme, marchand épicier, bourgeois de Paris, est décédé le 11 août 1634 (6). Nous ignorons tout de son père, ce qui laisse supposer que Philippe était un « homme nouveau ». Mais nous savons que sa sœur avait épousé Jehan Deshays, marchand de vin, et que deux de ses cousins étaient marchands, bourgeois de Paris. Philippe avait épousé le 8 juin 1598 Suzanne Le Marroyer, fille d'un Pierre Le Marroyer, dont nous savons seulement qu'il était décédé. Toutefois la mère de Suzanne Le Marroyer, Suzanne Adenet s'était remariée avec César Portier, honorable homme, marchand maître apothicaire épicier, bourgeois de Paris. Suzanne Adenet avait un frère, oncle maternel de Suzanne Le Marroyer, maître Daniel Adenet, huissier du roi en la Cour des Aides. Au mariage, le seul témoin ami est un contrôleur général en la généralité de Soissons.

Philippe Bruslé eut quatre enfants de Suzanne Le Marroyer. L'aînée, Suzanne, épousa le 1er juin 1631, René Le Vasseur, honorable homme, apothicaire du roi en son artillerie ; la seconde, Catherine, se fit religieuse ; le troisième enfant, un garçon François, fut, comme son père, honorable homme, marchand épicier mais mourut avant 1634. Le quatrième, Jehan, mourut prématurément.

Le gendre de Philippe Bruslé, René Le Vasseur, était fils d'un honorable homme, sieur de, bourgeois du Mans, docteur de la Faculté de Médecine. La dot de Suzanne était constituée par un des douze offices d'apothicaire, évalué 3 200 livres, plus 200 livres en meubles et habits. Philippe Bruslé constituait une société avec son gendre.

Les témoins au mariage étaient du côté de Suzanne, outre son père et son frère, un oncle marchand joaillier de la reine, un cousin, huissier, sergent à verge au Châtelet, deux autres cousins, marchands, bourgeois de Paris ; du côté de René Le Vasseur, un cousin, maître Boucheron, argentier du duc de Montbazon, un autre, maître Rous-

(6) *Archives nationales,* Minutier des notaires parisiens, étude XVIe, liasse 235, inventaire du 19 août 1635. Etude LXXXIV, liasse 38, contrat de mariage 8 juin 1598. Etude XLI, liasse 154, inventaire après décès de Suzanne Le Marroyer, en première femme, 22 janvier 1629. Etude LXXXI, liasse 1, contrat de mariage de Suzanne Bruslé, 1er juin 1631.

selière, maître d'hôtel de la marquise de Verneuil, un noble homme, maître, avocat en Parlement, et dame Catherine Danès, veuve de noble homme maître Daniel Serizay, valet de chambre du roi.

La première femme de Philippe Bruslé mourut le 2 janvier 1629. Le veuf se remaria avec une veuve, Marie Niver, qui mourut à son tour, avant Philippe, en janvier 1634.

Philippe Bruslé, en 1629, habitait rue Saint-Honoré, paroisse Saint-Germain-l'Auxerrois. Il y est toujours en 1634. Il occupait une boutique, une arrière-boutique, une salle, deux chambres, une cuisine, une cave. Il payait un loyer de 800 livres par an au moment de son décès.

Les Bruslé avaient des réserves : bois, vin de Bourgogne. La vaisselle et les ustensiles de cuisine étaient abondants. L'on remarque de l'étain sonnant, évalué 37 livres, et trois fontaines, deux en airain, une en poterie. Les murs sont ornés de tableaux : Descente de Croix, un saint Jérôme, un Turque, une « Turquesse », deux Courtisanes, deux morceaux de tapisseries de Beauvais, une tapisserie de Rouen. Pour le sol, deux tapis de Turquie. Les meubles sont en noyer et en ébène.

En 1629, l'ensemble est évalué 412 livres ; dans les deux inventaires de 1634, 236 et 233 livres, bien que les mêmes pièces soient énumérées. Mais sans doute des meubles avaient été donnés à Suzanne, lors de son mariage. En 1629, les Bruslé ne possédaient que fort peu d'argenterie : 6 cuillères, 1 pot à eau, évalués 62 livres. En janvier 1634, 1 bassin à cracher, 1 écuelle à oreilles, 18 cuillères, 1 crochet, 1 aiguille, 1 pot à eau, 2 salières, 2 tasses, 1 coupe d'argent, 1 gondole, évalués 261 livres. En août 1634, 1 bassin à cracher, 1 pot à eau, 1 écuelle à oreilles, 1 salière, 1 saucière, 2 tasses, 1 gondole, 14 cuillères, évalués 180 livres.

Les bijoux de Suzanne Le Marroyer étaient prisés 986 livres : 1 anneau d'or, émaillé de noir, où étaient enchassés 7 diamants, dont 4 gros (600 livres) ; 1 anneau d'or avec 7 diamants (150 livres) ; 1 croix d'or avec 5 diamants (200 livres) ; une perle (12 livres) ; 1 chapelet avec 34 grains de corail (24 livres).

Dans les bijoux de Marie Niver, on retrouvait l'anneau d'or avec 7 diamants de 150 livres, le chapelet, évalué cette fois 27 livres ; plus 2 anneaux avec 3 diamants de 150 livres ; 2 bracelets d'or, 1 croix d'or émaillé avec 3 perles, 1 chaîne d'or, ensemble 136 livres, au total 313 livres.

Il n'y a plus de bijoux dans l'inventaire de Philippe Bruslé. Sans doute, Suzanne Bruslé avait pris en 1626, la plupart des bijoux de sa mère et le reste en janvier 1634. Tout cela évoque des gens à leur aise, selon les critères du temps, des familles stables et de niveau social assuré, sauf la mort qui planait.

VI. — A partir de la strate des marchands ou prétendus tels, nous décrivons plus d'un cas par strate, tant à cause de l'effectif croissant et de la diversité de chaque strate, qu'en raison de la difficulté croissante de réunir des renseignements sur chaque famille ou chaque individu au fur et à mesure que l'on descend l'échelle sociale.

Voyons tout d'abord un marchand pauvre, un fripier, dont les biens sont évalués après le décès de son épouse à 262 livres tournois. Il était marié depuis neuf mois. Sa femme meurt en laissant un enfant de quelques mois, conçu avant leur mariage. Elle lui avait apporté une dot de 300 livres. Mais maladie et obsèques les ont sans doute appauvris. Il reste des meubles pour 162 livres (62 %), sept meubles de noyer dont une couche à hauts piliers (75 livres), des vêtements et du linge de chanvre ,pour 100 livres (38 %). Il s'agit peut-être seulement des biens de l'épouse.

Un marchand fruitier est de situation moyenne. Il était marié depuis 1631 et sa femme avait en dot 600 livres. Il laisse une fortune de 1 568 livres. Le couple vivait dans deux pièces, une chambre et une garde-robe, avec une servante.

Le marchand le plus riche est un boulanger, qui laisse une fortune de 15 754 livres. Originaire de Toul, compagnon boulanger, il avait épousé en 1595, la servante d'un noble homme. Sa femme lui avait apporté en dot ses lettres de maîtrise et 82 écus soleil en meubles, linge et ustensiles (environ 246 livres tournois). Quatre enfants étaient issus du mariage. Deux fils étaient devenus marchands boulangers. Deux filles étaient mariées respectivement à un marchand fourreur et à un maître tissutier-rubanier. Le défunt était resté veuf mais il habitait avec un de ses fils, marchand boulanger, et deux domestiques.

Ils utilisaient une boutique et vivaient dans sept pièces : une salle, une sallette, deux chambres, une cuisine, une cave, un grenier.

La boutique contenait un outillage estimé 123 livres : 1 boîte à farine, 2 pétrins de chêne, 2 pelles à four, 2 pelles de fer, 2 moulins à bras, 2 paires de balances, 1 fléau de fer, 3 tables à mettre le pain, 2 coffres de chêne à serrure, 1 banc façon de coffre à 2 guichets, 2 bancs scellés, 1 tour de bois de noyer.

L'appartement contenait un mobilier prisé 501 livres : 28 meubles de hêtre, de noyer et de chêne, dont deux lits de noyer avec ciel de tapisserie (chacun 50 livres), 3 couchettes de hêtre et de noyer, 22 objets de cuivre pour la cuisine, 1 fontaine de cuivre. Deux tableaux religieux sont dans des châssis de bois doré ; 4 tapis recouvrent le sol ; 1 réveil-matin, 1 damier, 1 hallebarde sont à noter.

Les vêtements et le linge, estimés 372 livres, sont assez abondants. Il y a 84 draps de chanvre, 3 draps de lin, des nappes, des serviettes, 60 chemises surtout de chanvre, divers vêtements.

L'argenterie, prisée 225 livres, comporte 2 salières, 1 bassin, 5 tasses, 12 cuillères. Les bijoux se réduisent à un chapelet de corail avec croix d'argent.

L'essentiel est constitué par 14 528 livres en deniers, comptants, 92 % de la fortune, beau cas de thésaurisation.

VII. — Les maîtres de métier sont évidemment très divers. Voici un maître chandelier, fils d'un honorable homme porteur de blé, c'est-à-dire d'un officier de police parisien, pourvu d'un office domanial. Il a épousé en 1627 la fille d'un marchand. Parmi ses témoins on note un oncle, sergent au grand bureau des Pauvres, un frère, maître menuisier. Sa femme a un frère, maître tailleur. Elle meurt, laissant un enfant de trois mois. Leur avoir est estimé 733 livres. Ils vivaient dans une chambre et l'époux exerçait son métier dans une boutique contiguë avec un serviteur. Leur chambre était ornée de deux tableaux sur toile à sujets religieux, d'un tapis, d'un tour de cheminée en tapisserie à fleurs, d'un miroir. Ils avaient un mobilier prisé 340 livres (46 %), des vêtements évalués 190 livres (26 %), de l'argenterie et des bijoux estimés 20 livres : 1 chaîne d'argent, 1 chaîne à ciseaux d'argent, 1 bordure de semense de perles, 1 chapelet, 2 couteaux à manche d'argent. L'outillage de la boutique est évalué à 130 livres (18 %) : 2 établis, 1 comptoir, des mesures de suif, un bassin d'airain, des poêles, des coupoirs, des bouteilles, des bancs. Les marchandises sont prisées 62 livres (8 %) en chandelles et autres denrées non mentionnées.

Voici un maître tailleur. Fils d'un maître tailleur, il a épousé la fille d'un marchand de Nantes. Il a un oncle, maître tailleur, un frère archer des gardes du corps, un cousin, receveur d'une abbaye. Sa femme a un frère maître tailleur à Paris.

Notre homme meurt à 38 ans. Il vivait avec son épouse dans leur propre maison évaluée 2 400 livres, 80 % de leur avoir : une chambre, un cabinet, un bouge, un cellier, un grenier. Les murs sont garnis d'un miroir et de 18 tableaux évalués 17 livres : 2 Jésus, 1 Vierge, 10 saints, 2 empereurs, 1 paysage, 1 bouquet. Le mobilier est estimé 162 livres (5 %) dont 1 lit, 1 couchette, 2 tables, 1 bahut, des armoires. Les vêtements et le linge sont estimés 74 livres (2 %) : 14 douzaines de serviettes, 14 draps, 3 nappes, 6 chemises de chanvre, des collets, divers vêtements. Le tailleur a des armes : 1 mousquet, 1 carabine, 1 épée. Il a des livres : 2 volumes in-4° de Méditations sur les mystères de la foi et 7 autres livres non précisés. Il a 362 livres de « dettes actives », c'est-à-dire de créances. Mais il doit 678 livres. Le bilan, positif, lui laisse 2 322 livres. Il n'est pas question de vaisselle, d'argenterie, de bijoux, et il est possible que ne soit pas comptés dans l'inventaire bien des objets appartenant à la veuve ou dissimulés par elle.

Voici un maître cordonnier de Monseigneur, frère du roi. Sa femme, fille d'un cordonnier de Monseigneur, lui avait sans doute apporté sa maîtrise. Elle vient de mourir, laissant cinq enfants mineurs.

Ils utilisaient une boutique et vivaient dans une salle, une soupente, complétées par une cave et un grenier. Dans la boutique se trouve un outillage évalué 162 livres (4 %) : des peaux de veau et de maroquin, des couteaux, plusieurs douzaines de formes, des embauchoirs, plusieurs paires de bottes, des selles.

Le mobilier, estimé 332 livres (8 %) comporte une couche de noyer (50 livres), une couche à bas-piliers (20 livres), 2 couchettes, 11 meubles divers, des ustensiles de cuivre, d'étain, de fer.

Les vêtements et le linge (surtout de chanvre, sont estimés 161 livres (4 %).

L'argenterie, prisée 168 livres, comprend 1 aiguière, 1 salière, 4 gondoles, 1 chaîne à ciseaux.

Les bijoux sont évalués seulement 11 livres.

Deux tableaux sur bois représentent des sujets religieux. Le maître cordonnier et sa femme ont des rentes à 10 % pour un principal de 400 livres, des « dettes actives », c'est-à-dire des créances pour 1 439 livres (39 %) et donc la haute clientèle payait mal, et 1 075 livres en deniers comptants (29 %). Leur avoir s'élève à 3 749 livres, mais leur vie était évidemment fort modeste.

Enfin, voici Pierre Boulle, maître tourneur et menuisier du roi. Il était fils de David Boulle, bourgeois de Verrière, dans la banlieue sud de Paris. Il avait épousé, en 1616, Marie Baluche, fille d'honorable homme Pierre Baluche, marchand à Lyon, décédé, dont la veuve était remariée avec Jacob Bunel, peintre et valet de chambre du roi. La dot de Marie Baluche était de 1 000 livres. Pierre Boulle laissait cinq enfants mineurs, dont Paul, âgé de 15 ans, Isaac, âgé de 10 ans, porteurs de prénoms bibliques.

Pierre et Marie, avec leurs enfants et deux serviteurs, habitaient les galeries du Louvre, paroisse Saint-Germain-l'Auxerrois, c'est-à-dire dans la Grande Galerie du bord de l'eau, où le roi logeait ses artistes et ses techniciens. Pierre et Marie disposaient de deux boutiques, d'une arrière-boutique et d'un « lieu » contre la voûte de la Grande Galerie. Leurs appartements privés étaient composés de deux chambres principales et de plusieurs soupentes.

Leur fortune comprenait : d'abord les éléments du métier de Pierre, 125 livres d'outillage, 8 802 livres de marchandises, 27 974 livres de « dettes actives » (créances), 2 600 livres de « dettes passives » (dettes) ; ensuite les éléments de leur fortune privée : style de vie, 2 584 livres de mobilier, 300 livres d'argenterie ; 68 livres de bijoux ; 2 675 livres en deniers comptants ; placements : 5 600 livres de rentes sur des particuliers ; un quart de maison non évalué ; en tout un actif de 48 128 livres, mais qui devait correspondre à une vie professionnelle active et à un style de vie quotidien assez modeste.

VIII. — Le plus pauvre compagnon, un tapissier, n'a que 150 livres de biens à la mort de sa femme, mais il a une fille, déjà veuve d'un tailleur d'habits, et qu'il a dû doter. Notre compagnon et son épouse vivaient dans une pièce. Leurs biens ne sont pas décrits. Leur mobilier est évalué à 80 livres (53 %), leurs vêtements à 48 livres (32 %). Pour tout outillage, il possède un métier évalué 2 livres (0,75 %). On lui doit 18 livres (12 %).

Un compagnon orfèvre laisse une veuve et un enfant de cinq ans. Le frère du défunt est maître brodeur, le frère de la veuve, maître épinglier. Le compagnon et sa famille vivent dans une chambre, où se trouvent 12 meubles en noyer, dont une grande couche et une couchette. Ils se servent de 5 ustensiles de cuivre, 12 d'étain commun, 14 de fer. L'ensemble du mobilier est évalué 128 livres (48 %). Les vêtements et le linge de chanvre sont estimés 115 livres (44 %). L'argenterie se réduit à une écuelle, deux chaînes, un dé, 11 livres (4 %) ; les bijoux, à trois anneaux d'or, 10 livres (4 %). Tout leur bien est évalué 264 livres.

Le moins pauvre est un compagnon menuisier qui laisse une veuve de 23 ans et un enfant de 17 mois. Le frère du défunt est compagnon corroyeur. Le bien du ménage est estimé 446 livres. Le défunt possédait un établi évalué 9 livres (2 %). Le mobilier, prisé 186 livres (42 %), comporte sept meubles de hêtre, de noyer et de chêne dont une couche à bas piliers ; des ustensiles de fer, d'étain et d'airain. Les vêtements et le linge sont évalués 71 livres (16 %). Le linge est surtout de chanvre, mais il y a du lin. Le ménage a 180 livres en deniers comptants (40 %).

IX. — Les sans qualité sont les plus divers de tous Le plus pauvre, un tailleur d'habits, dont un seul parent est mentionné, un baigneur, laisse un avoir évalué 22 livres. Il vit dans une pièce. Tout ce qui est mentionné, c'est quatre coffres, trois ustensiles de fer, quelques misérables hardes. Mais couchait-il sur ses coffres ?

Un batteur de plâtre laisse trois enfants en bas âge. Aucune épouse, aucune famille n'est mentionnée. L'ouvrier vivait dans une pièce. Tout son bien est estimé 80 livres. Il laisse un mobilier de bois de hêtre comprenant un lit, une couchette, la literie, des ustensiles de cuisine en étain commun, deux chandeliers de cuivre, le tout évalué 41 livres. Les vêtements et le linge de fil de chanvre comprennent quatre chemises d'homme, six chemises de femme, deux douzaines de collets, quatre draps, prisés 39 livres.

Un voiturier devient veuf, avec deux enfants en bas âge. Le mariage avait eu lieu en 1621. L'époux était alors fils de laboureur et l'épouse fille de porteur d'eau. Ils avaient deux cousins, tous deux gagne-deniers. Leur bien est estimé 450 livres. Leur logement n'est pas décrit. Cette fois, les instruments du métier tiennent une grande place, deux chevaux, médiocres, puisqu'estimés à eux deux 180 livres (41 %). Le mobilier est prisé 161 livres (36 %). Il n'est pas décrit. Seulement, quatre tableaux sont mentionnés. Les vêtements et le linge sont évalués 41 livres (9 %). L'argenterie comprend une cuillère, une chaîne, un hochet, 40 livres (9 %) ; les bijoux, quatre anneaux d'or enchassés de pierres, 20 livres (4,5 %).

Un empeseur reste veuf, avec un enfant mineur. L'actif est de 494 livres. Mais il y a des dettes qui réduisent l'avoir à 394 livres. Le ménage vit dans une chambre. L'outillage est estimé 28 livres (6 %). Le mobilier est prisé 244 livres (59 %). Il n'est pas décrit. On nous apprend seulement qu'il s'y trouve deux escabeaux couverts de tapisserie et une fontaine d'airain. Les vêtements sont évalués 115 livres (30 %) ; l'argenterie, réduite à un hochet et à une gondole, à 22 livres (4 %) ; un seul bijou, une bague d'or avec une pierre, 10 livres (1,5 %).

Mais voici un débardeur de foin, veuf et remarié. Il a de son premier lit, un fils, marchand teinturier, une fille mariée à un maître tailleur. Avec sa seconde épouse il vit dans une chambre et leur bien est estimé 324 livres. Le mobilier représente 194 livres (24 %). Il est mal décrit. Il s'y trouve deux pliants couverts de tapisserie, un tapis de table, un miroir dans un cadre de cuir doré, des ustensiles de cuisine en cuivre et en étain. Les vêtements et le linge sont abondants, 354 livres (43 %) et ils témoignent d'un certain raffinement car le linge est de toile de Hollande et on y compte six fraises. L'argenterie comprend une tasse et six cuillères, pour 20 livres (1,5 %). Les bijoux comprennent plusieurs anneaux d'or, plusieurs chaînes d'or avec croix, deux chapelets de nacre avec des grains d'or et une croix d'or, une épingle d'or, en tout 270 livres, 25 %. Il y a 16 livres tournois en deniers comptants. Notre débardeur, soucieux de ses devoirs civiques, garde un mousquet et une épée.

Enfin, le plus riche des « sans qualité », avec un avoir de 2 414 livres tournois, est un domestique de monsieur maître Jean Rouillé, maître à la Chambre des Comptes. Célibataire, il vit chez son maître, qui lui laisse la jouissance d'une chambre et d'une garde-robe. Le domestique a des meubles à lui, estimée 58 livres. Ses vêtements sont fort modestes, 34 livres. Mais il garde 1 128 livres en deniers comptants (47 %). Et il lui est dû 1 232 livres (51 %), la moitié pour ses gages, la moitié en obligations. Notre domestique se livrait au prêt à intérêt.

Plus que jamais, dans l'examen de ces cas particuliers, il faut nous rappeler que les notaires évaluaient les biens systématiquement bas dans les inventaires après décès et qu'ils en omettaient un certain nombre. Les chiffres absolus que nous obtenons ne sont pas exacts. Ils nous fournissent seulement un ordre de grandeur et, comme ils sont tous affectés d'un défaut semblable, un élément de comparaison.

CONCLUSION SUR L'ECHANTILLON DE 1634, 1635, 1636 : ORDRES OU CLASSES ?

Nous avons distingué des strates sociales, à l'intérieur de chaque strate sociale, des « états » sociaux, et pour chaque strate, nous avons examiné ce que nos contrats de mariage et nos inventaires après décès nous livraient sur les relations sociales à l'intérieur de la strate et avec les autres strates, les fortunes, le style de vie, les mentalités. Nous avons ainsi effectué une coupe verticale de la société parisienne et une description de chaque couche sociale, autant que nous le permettaient nos documents. A aucun moment, nous ne nous sommes encore demandé quelle était la nature des strates sociales que nous découvrions, s'il s'agissait de castes, d'ordres ou de classes. Peut-être le moment est-il venu de nous poser la question. Certains diront certainement : à quoi bon ? Vous obtenez une description. Vérifiez-la d'abord selon les mêmes méthodes et les mêmes documents, d'abord en utilisant tous les notaires de Paris, à la même époque, puis pour diverses autres époques, ensuite, en recourant à d'autres documents. Quand vous nous décrivez des strates, et, soit à l'intérieur de ces strates, soit les transcendant, des groupes et des corps, quand vous poussez cette description de façon à vous rapprocher de plus en plus de l'exactitude, et que vous nous faites voir cette société dans sa composition et dans ses mouvements, vous remplissez tous vos devoirs d'historien. Qu'importe la nature de ces strates, de ces groupes, de ces corps ? Il s'agit là de débats philosophiques, ou même politiques, que l'on peut poursuivre indéfiniment et qui, finalement, n'apportent rien ou peu de chose à l'histoire.

Quel repos si nous pouvions adopter ce point de vue puisque nous n'aurions plus en guise de conclusion, qu'à résumer les quelques caractères de cette société parisienne que nous avons pu dégager ! Le malheur est qu'il nous faut repousser cette tentation. C'en est une, de facilité. En effet, nous faire cette objection, c'est admettre qu'il suffit d'examiner des individus, des groupes de diverses sortes et des strates, d'en saisir quelques aspects et de les mettre bout à bout pour avoir l'intelligence d'une société. Mais alors nous en restons à quelques aspects de cette société et nous n'entrons pas dans son être, dans sa nature. C'est pénétrer l'être d'une société, ce qui la fait particulière, unique, en saisir l'essence (ce qui implique d'ailleurs d'aussi nombreuses comparaisons que possible avec d'autres sociétés), qui est en avoir l'intelligence. Or ceci ne s'obtient pas en s'en tenant à juxtaposer des descriptions partielles. Nous n'obtenons ainsi qu'une addition d'éléments, une première connaissance, qu'il nous faut dépasser. Nous ne méprisons pas cette première connaissance, cette juxtaposition de descriptions d'aspects divers : elle est indispensable. Nous pensons seulement qu'elle n'est qu'une partie du métier de l'historien, même si elle est quantitative et sérielle.

D'autres nous objecterons le caractère statique de notre analyse. Et il est certain que nous avons cherché à déterminer une structure à un moment donné. Or il y a aujourd'hui des historiens, inspirés d'ailleurs par des sociologues et des philosophes, qui ne veulent étudier que les changements, qui voient dans ce qui change, dans le changement perpétuel, la nature même, l'être même, des strates, des groupes, des corps, des sociétés. Mon Dieu ! Depuis Héracite et Protagoras, l'on a vu ce mouvement d'esprit revenir bien souvent, sous des formes très diverses, mais toujours le même en son fonds. Et cette hypothèse, présentée comme une réalité, se heurte toujours à la même difficulté. Pour qu'il y ait changement, il faut qu'il y ait un être qui change, une nature, des natures qui changent. Le changement implique un ordre préexistant, des types, des natures. Le chaos ne change pas. Pierre change : d'enfant, il devient homme, puis vieillard. Ses cheveux changent ; il en perd, et ceux qu'ils gardent grisonnent, puis blanchissent. Mais c'est toujours le même Pierre, la même personne, le même être. Les sociétés changent, mais elles gardent la même nature, sur le même sol et avec des descendants souvent des mêmes populations. Les historiens qui voient dans le changement perpétuel l'étoffe même des sociétés, ne font d'ailleurs jamais assez attention aux phénomènes qui se répètent dans le temps, aux phénomènes périodiques, qui manifestent extérieurement la nature, l'être intime de telle ou telle société, comme les rhumes de cerveau à répétition de Pierre, si celui-ci y est sujet par la constitution de son organisme. Comme ces phénomènes de répétition sont à périodicité plus ou moins longue, nos historiens du « changement-étoffe », prennent souvent pour du nouveau, ce qui est une manifestation périodique, témoin par elle-même d'une nature constante.

Nous sommes persuadés, après examen, que chaque société a un être, une nature, un type d'organisation, un ordre, qui lui est propre. L'historien n'a pas compris ce qu'est ou était cette société avant d'avoir saisi ce type d'organisation et cette nature intime. Nous pensons qu'il est du métier d'historien d'essayer de comprendre, de tenter d'arriver à l'intelligence, universellement valable, de la société ou des sociétés qu'il étudie. Toute une partie du travail préparatoire de l'historien peut se faire sans se poser cette question. Il suffit de prendre comme guide et comme questionnaire tous les actes que les différents hommes vont avoir à effectuer, dans une société donnée, du lever au coucher et de la naissance à la mort. Chaque chercheur choisit, selon ses goûts et selon les documents dont il dispose, les actes humains qu'il veut étudier. L'on espère que finalement les historiens auront décrit tous ces genres d'actes, dans une société donnée.

Mais, avec toutes ces descriptions, nécessaires, car sans elles, on ne peut arriver qu'à des vues de l'esprit, sans rapport avec la réalité (ou avec un rapport seulement partiel), l'on n'a que les moyens de comprendre ce qu'est cette société. L'on n'a pas encore son être. Il faut dépasser tout cela, pour atteindre l'être de cette société.

Comment faire ? C'est ici qu'il faut se garder de toute mutilation du réel, de tout idéalisme, ou de tout matérialisme. Si notre esprit s'impose, par idée préconçue, un découpage dans le réel, tout est perdu. Non, une société n'est pas la projection d'une Idée, même avec un grand I, et tout Platon ou tout Hegel derrière. Non, une société n'est pas le résultat d'un type de production, dont les rapports humains, les idées, les sentiments, ne seraient que l'effet et que la superstructure, alors que tant de fois nous constatons que ce sont les valeurs admises par telle société qui conditionnent sa technique et son activité économique. Il nous faut partir du donné intégral, livré par les traces qui nous restent du passé, de tous les genres d'actes humains saisis comme une totalité vivante, donc en relations mutuelles perpétuelles selon un type d'organisation. Les sociétés humaines, prises en elles-mêmes, chacune dans son ensemble, telles qu'elles se manifestent en réalité, prises selon un esprit de réalisme, sont une pluralité d'êtres, répartis selon des types distincts, des natures différentes. Elles ont des structures dont les parties sont solidaires entre elles selon un ordre qui se manifeste par des actes, car n'importe qui ne fait pas n'importe quoi. Il y a une préordination de la nature à tel type d'action, non à tel autre. On agit selon ce qu'on est, selon sa nature, selon son être. Et donc, de la totalité de nos types d'actes, dans une société donnée, nous pouvons remonter à l'être de cette société, pourvu que nous prenions l'ensemble, car c'est le tout qui conditionne et qui explique les parties. C'est le tout d'une société qui est la réalité vivante, la nature, l'être.

Et je serais tenté ici d'ajourner la réponse à la question que nous nous étions posé au départ, quelle est la nature de la stratification sociale parisienne ? Car la stratification sociale, en particulier, est tellement liée à l'ensemble de la société, qu'il nous faudrait avoir étudié à fond l'ensemble, la totalité de Paris, capitale du royaume, et avoir déterminé l'être, la nature, de Paris, capitale, et donc sans doute du royaume, pour y répondre. Or, au lieu de la totalité, nous n'avons pu ici essayer de décrire que quelques actes humains, fondamentaux certes, au moyen de deux catégories de documents. Nous ne pourrons donc donner une réponse absolument exacte.

Mais nous pouvons donner une réponse d'une grande probabilité. En effet, dans cette totalité, certains comportements, certaines relations sociales, présentent un caractère d'intégration et d'expression d'un grand nombre d'éléments sociaux. Ce sont précisément, pour cette société, les relations que nous avons choisi ici comme objet de recherches, les relations contenues dans l'association-mariage (1). Et nos recherches sur l'association-mariage vont nous permettre de nous approcher de très près de la vérité.

Nos documents sont des actes notariés, ayant valeur authentique, rédigés selon des formes juridiques et faisant foi devant les tribunaux. Mais, en ce qui concerne notre sujet, ils ne nous mettent pas seulement en présence d'une mentalité et d'un droit, car ils sont la

(1) Cf. ch. 1, « La méthode », p. 16-17, 21-24.

constatation authentique d'un acte, l'union conjugale d'un homme et d'une femme en vue du soutien mutuel, de la procréation des enfants, de l'avantage et de la perpétuation de la famille. Cette union n'est pas seulement celle de deux personnes de chair et d'os, c'est celle de qualités sociales et de fonctions sociales, condition, profession ou métier, inclus dans une hiérarchie. Le fait d'être sans qualité est encore une qualité, la pire de toutes. Or, les dénominations de ces qualités et de ces fonctions, le plus souvent, ne sont pas déterminés par les lois et règlements. Cependant, leur hiérarchie est la même chez tous les notaires, à peu de choses près, les uns paraissant un peu plus libéraux, d'autres, un peu plus stricts. Cette hiérarchie semble s'imposer aux notaires, en dehors des lois et règlements, par coutume. Elle est donc un fait social, l'expression de relations effectives, habituelles, entre les membres de la société.

Or, cette hiérarchie sociale place en tête de la société, dans ses échelons supérieurs, des gens qui n'ont aucun rapport avec les activités productrices de biens matériels, exploitation agricole, négoce, fabriques, ou semble-t-il avec la participation à ces activités par commandite, société, parts, actions. Ce que cette société prend aux premiers échelons, dans ses quatre premières strates, ce sont les gens qui exercent des activités militaires, ou de justice et de police, avec le commandement qui en résulte, au service du roi, incarnant le bien commun, c'est-à-dire de l'Etat, les hommes de loi au service de la justice, les officiers de finance et les « financiers », non pas banquiers, mais gens maniant les deniers du roi. C'est seulement à la cinquième strate qu'apparaissent les hommes de négoce. La dignité sociale, l'estime sociale, vont donc à des fonctions sociales qui ne sont pas celles du commerce, de l'industrie, de l'agriculture, de tout ce qui est pratiqué pour le profit. C'est bien là un caractère essentiel de sociétés d'ordres. Si nous avions affaire à une société de classes, ce seraient les négociants, les banquiers, les chefs d'industrie, les grands exploitants terriens que nous trouverions dans les premiers échelons, et les plus importants d'entre eux au premier échelon, seuls, ou en même temps que des commanditaires, des croupiers, des actionnaires, réalisant, accroissant leur fortune et vivant de leurs actions, de leurs croupes, de leurs commandites. Or, nous ne trouvons rien de tout cela.

En gros, en très gros, en moyenne et avec des éventails largement ouverts à chaque rang social, la fortune suit la hiérarchie sociale. Les moyens, concédés par la société, de s'entretenir selon sa dignité suivant la hiérarchie des dignités. Mais, autant que nous pouvons analyser ces fortunes, nous constatons que celles des quatre premières strates, ne proviennent pas du commerce et de l'industrie ou de l'agriculture. Elles viennent avant tout des fonctions exercées, d'abord du rapoprt d'offices, et dans une moindre mesure de rentes sur l'Etat, de rentes sur les particuliers, et dans une moindre mesure encore, de locations de maisons, de fermes dépendant ou non de seigneuries, de terres de diverses sortes. Elles ne viennent jamais ou presque jamais d'exploitation directe. Elles sont la conséquence de la situation sociale ou de la fonction sociale. On nous dira : les offices étaient vénaux, pour les acheter, il fallait de l'argent. Oui, mais pas n'importe quel argent. Un négociant enrichi ne pouvait acheter pour lui-même un office de conseiller au Parlement, et, en général, aucun office de « judicature », le plus souvent même aucun office de magistrat de finances ; il n'aurait pas été reçu. Il pouvait acheter un office de conseiller, notaire, et secrétaire du roi, maison et couronne de France, mais à condition d'avoir cessé toute activité commerciale pendant plusieurs années avant l'achat, et d'avoir vécu « noblement » de ses rentes, sans pratiquer métier ni marchandise. Du reste lorsque l'on nous dit que telle famille de magistrats est issue du négoce, on omet de nous indiquer qu'il a fallu en général plusieurs générations après le dernier négociant. L'on omet aussi de nous énumérer tous les cas, bien plus nombreux, où une famille s'est élevée depuis les laboureurs, en passant par les auxiliaires de la justice, praticiens, procureurs, notaires, avocats, avant d'arriver aux offices de finance, puis à ceux de justice, enfin aux offices militaires. Il faut le plus souvent plusieurs générations. A partir de la cinquième strate, l'argent nécessaire pour passer de strate en strate, d' « état » en « état », ne provient plus d'activité agricoles, artisanales, commerciales, industrielles, il provient avant tout de la profession et surtout, pour mieux dire, de la fonction sociale tout entière. Du reste, si nous avions eu le moyen, comme M. Maurice Gresset pour Besançon (2), de discerner les composantes des ressources annuelles selon le rang, nous aurions probablement vu nous aussi que, dans ce type de société, elles avaient des origines multiples, et que le même homme devait avoir bien des activités différentes dans le même ordre. Mais traitements (ou gages), épices, taxations, commissions, honoraires, pensions, rentes, forment les ressources essentielles des gens des quatre premières strates, et d'un certain nombre de celles des autres (employés, commis, petits officiers ministériels), et l'origine de leur enrichissement dans bien des cas. Elles proviennent de la dignité sociale relative et la suivent. Et ceci est bien un caractère de sociétés d'ordres.

Sans que le fait suivant soit nécessairement de la nature d'une société d'ordres, il est remarquable de noter combien cette société parisienne semble attacher peu d'importance aux moyens de production et sans doute à la production elle-même. Chez les gens des métiers, la proportion de l'outillage aux autres biens est étonnamment faible.

Par contre ce qui est bien de la nature d'une société d'ordres, ce sont les clivages de cette société en strates, correspondant chacune à des degrés de dignité, et qui tendent à se fermer, à s'isoler, à maintenir jalousement leur dignité par rapport à celles des autres strates. C'est aussi en vertu du principe de la supériorité du service du roi, par les armes, par la justice, par le maniement des deniers publics, la coupure de cette société en deux parties, la supérieure, correspondant aux quatre premières strates, vouées à ces activités, l'inférieure, correspondant aux quatre strates où prédominent les

---

(2) *Le monde judiciaire à Besançon de la conquête française à la Révolution*, thèse pour le Doctorat ès-Lettres, Université de Paris-Sorbonne, 1974.

activités manuelles, avec la situation ambiguë des « honorable homme » (V^e strate), tenus à distance à cause du gain, ménagés en raison de l'aide qu'ils peuvent donner au roi et parce que leur activité manuelle est réduite. Les strates tendent à se fermer, parce qu'une signité supérieure s'acquiert difficilement. Il est tout de même possible de l'acquérir et de changer d' « état » puis de strate. Mais il y faut de longs stages et toute une série d'épreuves purificatrices, par changement de style de vie et de profession, et la reconnaissance sociale comme un pair et compagnon par ceux de l' « état » supérieur ou de la strate supérieure, à laquelle on souhaite s'intégrer. Aussi, sauf exceptions, une ascension sociale est lente, elle demande plusieurs générations. Elle est donc affaire de famille, plus que d'individus, et cette forme de famille qu'est le lignage, lui est particulièrement favorable. D'ailleurs une dignité a chance d'être d'autant mieux intégrée que, soit par le sang, soit par l'éducation et la tradition familiale, elle a passé depuis plus de temps dans le même lignage de génération en génération. De là, à dignité égale, la considération supérieure attachée à l'ancienneté des lignages dans une dignité donnée, à un rang donné. Ce fait, bien connu pour les trois strates supérieures, où se retrouvent les nobles de race et les nobles de fonction, existe aussi dans la quatrième strate, de notre échantillon, celle des gens de loi, où les fils de procureur, les fils d'avocat, forment des « états » supérieurs à celui des procureurs nouveaux, des avocats nouveaux. Nous le retrouvons même dans la sixième strate, celle des marchands, où les fils de marchands, et, naturellement, encore mieux, les fils d'honorable homme, forment des « états » supérieurs ; dans la septième strate, où se détachent, dans tous les métiers, les maîtres, fils de maîtres. Et nous avons constaté, dans ces strates inférieures, l'effort pour constituer des lignages, en vue du maintien du niveau social et surtout de l'ascension sociale.

Le but d'une conclusion ne nous semble pas de résumer tous les résultats d'une recherche. Nous espérons que le lecteur voudra bien nous lire entièrement et de près. Nous nous en tiendrons donc là. Nous conclurons donc que nos résultats sont en accord avec la description de la société d'ordres et avec la théorie de la société d'ordres et que tout se passe comme si notre société parisienne en 1634, 1635 et 1636, était de sa nature une société d'ordres.

Il importerait maintenant de voir si d'autres échantillons à d'autres époques nous donneraient les mêmes résultats et nous conduiraient aux mêmes conclusions. Nous avons étudié un échantillon pour les années 1749 - 1750 - 1751, et un pour l'année 1784.

APPENDICES

APPENDICE I

Liste des inventaires imprimés du minutier central des notaires parisiens

COYECQUE (Ernest), *Recueil d'actes notariés relatifs à l'histoire de Paris et de ses environs au XVIe siècle*, t. I, 1498-1545, Paris, in-4°, 932 p. ; t. II, 1532-1555, Paris, 1923, in-4°, 832 p.

FLEURY (Marie-Antoinette), *Documents du minutier central concernant les peintres, les sculpteurs et les graveurs au XVIIe siècle (1600-1650)*, t. I, Paris, SEVPEN, 1969, in-8°, 970 p.

JURGENS (Madeleine), *Documents du minutier central concernant l'histoire de la musique, 1600-1650*, t. I, Paris, SEVPEN, 1967, in-8°, 1953 p. ; t. II, Paris, « la Documentation française », in-8°, 1974.

JURGENS (M.), FLEURY (M.-A.), MONICAT (J. Dir.), et MESNARD (J.), *Documents du minutier central concernant l'histoire littéraire (1650-1700)*, Paris, PUF, 1960, in-8°, 510 p.

RAMBAUD (Mireille), *Documents du minutier central concernant l'histoire de l'art, 1700-1750*, Paris, SEVPEN, t. I, 1964, in-8°, 866 p. ; t. II, 1971, in-8°, 1298 p.

WILDENSTEIN (Georges), *Le goût pour la peinture dans la bourgeoisie parisienne entre 1550 et 1610*, « Gazette des Beaux Arts », 1962 ; contient une liste chronologique des inventaires consultés, p. 65 à 230.

Le goût pour la peinture dans la bourgeoisie parisienne au début du règne de Louis XIII, « Gazette des Beaux Arts », 1959 ; contient une liste chronologique des inventaires consultés, p. 79 à 103.

Le goût pour la peinture dans le cercle de la bourgeoisie parisienne autour de 1700, « Gazette des Beaux Arts », 1958 ; contient une liste chronologique des inventaires consultés, p. 49-68.

JURGENS (Madeleine), *Cent ans de recherches sur Molière, sur sa famille et sur les comédiens de sa troupe*, Paris, SEVPEN, 1963, 855 p.

WILDENSTEIN (Georges), *Inventaires après décès d'artistes et de collectionneurs français du XVIIe siècle conservés au minutier central des notaires parisiens de la Seine aux Archives nationales*, Paris, « Les Beaux-Arts », 1967, 164-302 p.

APPENDICE II

Bibliographie sommaire des études d'histoire sociale sur les villes et leur banlieue en France au XVIIe siècle

Les études d'histoire sociale, mêlées avec beaucoup d'autres, se trouvent mentionnées jusqu'en 1966, dans :

DOLLINGER (Philippe), WOLFF (Philippe), GUENÉE (Simone), *Bibliographie d'histoire des villes de France,* Paris, C. Klincksieck, 1967, in-8°, 754 p.

Parmi celles-ci et parmi les études d'histoire des villes parues depuis 1966, nous conseillerions particulièrement :

I. — *Ouvrages traitant de l'ensemble des structures sociales d'une ville avec ou sans sa banlieue :*

MOLLAT (Michel), *Histoire de l'Ile-de-France et de Paris,* dans « Univers de la France » Collection d'histoire régionale, Privat, éditeur, 1971, 599 p.

DEYON (Pierre), *Amiens, capitale provinciale,* Mouton, 1967.

ROUPNEL (Gaston), *La ville et la campagne au XVIIe siècle. Etude sur les populations du Pays dijonnais,* 2e éd., Armand Colin, in-8°, 1955.

GOUBERT (Pierre), *Beauvais et le Beauvaisis de 1600 à 1730,* SEVPEN, 1960.

BOUTRUCHE (Robert), *Bordeaux de 1453 à 1715,* Bordeaux, Fédération historique du Sud-Ouest, 1966.

COUTURIER (Marcel), *Recherches sur les structures sociales de Châteaudun, 1525-1789,* SEVPEN, 1969.

KLEINCLAUSZ, *Histoire de Lyon,* Lyon, Pierre Masson, 1939-1952, 3 vol. au tome 2.

FOISIL (Madeleine), *La Révolte des Nu-Pieds en Normandie,* Paris, Publications de la Sorbonne, PUF 1970, (villes de Normandie).

BERCE (Yves-Marie), *Histoire des Croquants. Etude des soulèvements populaires au XVIIe siècle dans le Sud-Ouest de la France,* 2 vol., Librairie Droz, Paris-Genève, 1974 (villes de Guyenne).

PILLORGET (René), *Les mouvements insurrectionnels de Provence entre 1596 et 1715,* Paris, A. Pedone, 1975.

II. — *Ouvrages traitant de quelques strates sociales, corps, collèges, et compagnies :*

TANON (L.), *Histoire des justices des anciennes églises et communautés monastiques de Paris,* in-8°, Paris, 1883.

LEMERCIER (Pierre), *Les justices seigneuriales de la région parisienne de 1580 à 1789,* thèse de droit, in-8°, Paris, 1923.

PANNIER (Jacques), *L'Eglise réformée de Paris sous Henri IV*, Paris, 1919.

PANNIER (Jacques), *L'Eglise réformée de Paris sous Louis XIII, de 1610 à 1621*, Paris, 1922.

OLIVIER-MARTIN (François), *L'organisation corporative de la France d'Ancien Régime*, Sirey, 1938.

MARTIN-SAINT-LÉON (Etienne), *Histoire des corporations de métier, depuis leurs origines jusqu'à leur suppression en 1791*, 4e éd., 1941.

COORNAERT (Emile), *Les corporations en France avant 1789*, 2e éd., Editions ouvrières, 1968.

COORNAERT (Emile), *Les compagnonnages en France du Moyen Age à nos jours*, Les Editions ouvrières, 1966.

VENARD (Marc), *Bourgeois et paysans au XVIIe siècle. Recherches sur le le rôle des bourgeois parisiens dans la vie agricole au Sud de Paris au XVIIe siècle*, SEVPEN, 1957

BLUCHE (François), *L'origine des magistrats du Parlement de Paris au XVIIIe siècle*, Daupeley-Gouverneur, 1956.

FONTENAY (Michel), *Paysans et marchands ruraux de la vallée de l'Essonne dans la seconde moitié du XVIIe siècle*, « Paris et Ile-de-France », 1958, p. 157-182.

GOUBERT (Pierre), *Familles de marchands sous l'Ancien Régime : les Danse et les Motte de Beauvais*, SEVPEN, 1959.

FERTÉ (Jeanne), *La vie religieuse dans les campagnes parisiennes* (*1622-1695*), Paris, Librairie philosophique, Vrin, 1962.

MAC MANNERS (John), *French ecclesiastical society under the Ancien Régime*, Angers - Manchester University Press, 1960.

YARDENI (Myriam), *L'ordre des avocats et la grève du barreau parisien en 1602*, « Revue d'histoire économique et sociale », 1966, p. 481-507.

DESAIVE (J.-P.), *Les revenus et charges des prêtres de campagne au Nord-Est de Paris* (*XVIIe-XVIIIe siècles*), « Revue d'histoire moderne et contemporaine », XVII, 1970, p. 921-952.

GUTTON (Jean-Pierre), *La société et les pauvres. L'exemple de la Généralité de Lyon* (*1534-1789*), Les Belles-Lettres, 1970.

BENOIT (Marcelle), *Musiques de Cour* (*1661-1733*), Paris, A et J. Picard, 1971.

HAHN (Roger), *The anatomy of a Scientific Institution, The Paris Academy of Sciences, 1666-1803*, University of California Press, 1971.

BARDON (Françoise), *Le portrait mythologique à la Cour de France sous Henri IV et Louis XIII, Mythologie et politique*, Paris, A. et J. Picard, 1974.

JACQUART (Jean), *La crise rurale en Ile-de-France, 1550-1670*, Publications de la Sorbonne, Armand Colin, 1974.

GRESSET (Maurice), *Le monde judiciaire à Besançon de la conquête par Louis XIV à la Révolution française* (*1674-1789*), 2 volumes, Service de reproduction des thèses, Université de Lille III, 1975.

APPENDICE III

Liste des travaux du professeur Roland Mousnier sur l'histoire sociale

I. — *Livres :*

— *La vénalité des offices sous Henri IV et Louis XIII,* 1re éd., Rouen - Maugard, 1945, IX, 630 p. Ouvrage couronné par l'Académie des sciences morales et politiques (Prix Monod). 2e éd., Presses Universitaires de France, coll. « Hier », 1971, 725 pages.

— *Lettres et mémoires adressés au chancelier Seguier* (*1633-1649*), recueillis et publiés par Roland MOUSNIER. *Publications de la Faculté des lettres et sciences humaines de Paris,* série « Textes et documents », tomes VI et VII, Presses Universitaires de France, 1964.

— *L'assassinat d'Henri IV,* coll. « Trente journées qui ont fait la France », Gallimard, 1964. Ouvrage traduit en allemand et en anglais.

— *Problèmes de stratification sociale. Deux cahiers de la noblesse 1649-1651.* PUF, *Publications de la Faculté des lettres et sciences humaines de Paris,* série « Textes et documents », tome IX, 1965 (en collaboration avec J.-P. LABATUT et Y. DURAND). *Epuisé.*

— *Fureurs paysannes. Les paysans dans les révoltes du XVIIe siècle, France, Russie, Chine,* coll. « Les grandes vagues révolutionnaires », Paris, Calmann-Lévy, 1968. Ouvrage traduit en anglais.

— *Les hiérarchies sociales de 1450 à nos jours,* coll. « Sup. l'historien », Presses Universitaires de France, 1969, 250 p. Ouvrage traduit en anglais, en espagnol, en italien, en portugais.

— *La plume, la faucille et le marteau* (*Institutions et Sociétés en France du Moyen Age à la Révolution*), coll. « Hier », Presses Universitaires de France, 1970, 404 pages.

— *Le Conseil du Roi, de Louis XII à la Révolution, Recherches sur sa composition sociale,* Presses Universitaires de France, Publications de la Faculté des lettres et sciences humaines de Paris-Sorbonne, série « Recherches », tome LVI, 1971, 500 p.

— *Les institutions de la France sous la Monarchie absolue,* tome I : *Société et Etat,* Presses Universitaires de France, 1974, 586 p.

II. — *Mémoires et articles - parmi lesquels :*

— *Le Conseil du Roi de la mort de Henri IV au gouvernement personnel de Louis XIV,* dans « Etudes » publiées par la Société d'histoire moderne, tome I, 1947.

— *L'évolution des finances publiques en France et en Angleterre, pendant les guerres de la Ligue d'Augsbourg et de la Succession d'Espagne,* « Revue historique », 1951.

— *La vénalité des offices à Venise, de la fin du XVe à la fin du XVIIIe siècle,* « Revue historique de droit français et étranger », 1952.

— *Etudes sur la population de la France au XVIIe siècle,* dans « XVIIe siècle », 1952.

— *L'opposition politique bourgeoise, à la fin du XVIe siècle et au début du XVIIe siècle,* « Revue historique », 1955.

— *Recherches sur les soulèvements populaires en France avant la Fronde,* « Revue d'histoire moderne et contemporaine », V, 1958.

— *Recherche sur les syndicats d'officiers pendant la Fronde,* « XVIIe siècle », 1959.

— *Paris, capitale politique au Moyen Age et dans les temps modernes (environ 1200-1788),* dans « Colloques », Cahiers de Civilisation, 1962.

— *Gouvernés et gouvernants dans la France des XVIIe et XVIIIe siècles,* rapport pour la Société Jean Bodin, journées de Bruxelles, juin 1962, paru dans « Etudes suisses d'histoire générale », tome XX, 1962-1963.

— *Les mouvements populaires en France au XVIIe siècle,* « Revue des travaux de l'Académie des sciences morales et politiques », 115e année, 4e série, année 1962, 2e semestre.

— *L'évolution des institutions politiques en France et ses relations avec l'état social,* « XVIIe siècle », 1962.

— *Problèmes de méthode dans l'étude des structures sociales aux XVIe et XVIIe siècles,* Spiegel der Geschichte, Festgabe fur Max Braubach, hgn von K. Repgent und St Skalweit, Verlag Aschendorff, Münster, xestf, 1964, et dans « Revista de estudios politicos, Madrid, Instituto de estudios politicos », n° 133, 1964.

— *Les mouvements populaires en France avant les traités de Westphalie et leur incidence sur ces traités,* Forschungen und Studien zur Geschichte des Westfälischen Friedens (Schriften Reihe der Vereinigung zur Erforschung der Neueren Geschichte, 1), Münster, Verlag Aschendorff, 1965.

— *D'Aguesseau et le tournant des ordres aux classes sociales,* « Revue d'histoire économique et sociale », XLIX, 1971, 15 p.

— *Le concept de classe sociale et l'histoire,* dans « la France au XIXe siècle. Mélanges Charles H. Pouthas », *Publications de la Sorbonne,* série « Etudes », tome IV, 1973, 10 p.

— *Les concepts d' « ordres », d' « états », de « fidélité » et de « monarchie absolue » en France de la fin du XVe à la fin du XVIIIe siècle,* « Revue historique », n° 502, avril-juin 1972, 23 p.

— *Recherches sur les structures sociales parisiennes en 1634, 1635, 1636,* « Revue historique », n° 507, juillet-septembre 1973, 24 p.

— *L'histoire sociale,* « Anthinéa, Revue d'études historiques », novembre-décembre 1974, 8 p.

— *Les éléments de longue durée dans la France du XVIIe siècle,* « XVIIe siècle », année 1975, n° 106-107, 20 p.

APPENDICE IV

Liste des mémoires exécutés sous la direction du professeur Roland Mousnier, sur l'histoire sociale, avant tout de Paris, au XVIIᵉ siècle

Tous ces mémoires ont été pris directement aux sources d'archives, et notamment dans le minutier central des notaires parisiens. Quelques-uns ont donné lieu à des publications. Un certain nombre sont édités sous forme de microfiches par la maison Hachette, Paris. Tous sont à la disposition des chercheurs, sous forme de dactylogrammes, au *Centre de recherches sur la Civilisation de l'Europe moderne,* Université de Paris-Sorbonne, 1, rue Victor-Cousin, 75005 Paris.

I. — *Recherches sur les structures sociales de quartiers parisiens de 1637 à 1640.*

— KALINOWSKI (Solange THILLIEN de), *Structures sociales du quartier de la rue de la Harpe et du Faubourg de Saint-Germain-des-Prés, 1637-1640,* 1970.

— MAHUZIER (Claude), *Le quartier de la place Maubert, les faubourgs Saint-Marcel et Saint-Victor, 1637-1640. Etude sociale.*

— JARROT (Jany), *L'île de la Cité de 1637 à 1640. Etude sociale.* 1970.

— PARIS (Françoise), *Le quartier des Halles, 1637-1640. Etude sociale,* 1970.

— TIMSIT (Michèle), *Structures sociales du quartier Saint-Jacques de la Boucherie de 1637 à 1640,* 1970.

— BÉRARD (Christian), *Les quartiers Saint-Denis et Saint-Martin avec leurs faubourgs, de 1637 à 1640. Etude sociale,* 1970.

— DECELLE (Jean-Michel), *Le quartier Saint-Germain-l'Auxerrois, 1637-1640. Etude sociale,* 1971.

— LATHIÈRE-LAVERGNE (Guy), *Les structures sociales du quartier Saint-Eustache et du faubourg Montmartre, de 1637 à 1640,* 1970.

II. — *Recherches sur les structures sociales des quartiers parisiens pendant la Fronde.*

— LABATUT (Jean-Pierre), *Situation sociale du quartier du Marais pendant la Fronde parlementaire, 1648-1649,* 1956.

— PETIT (Geneviève), *Le quartier Saint-Honoré en 1648-1649,* 1957.

— BOURGEON (Jean-Louis), *L'île de la Cité pendant la Fronde,* 1961. Publié dans « Paris et Ile-de-France », T. XIII, 1962.

— PHILIPPON (Hélène), *Etude sociale du quartier Saint-Séverin en 1648-1649*, 1957.

— TIRAT (Jean-Yves), *La population des quartiers de Grève, de la Mortellerie, du cimetière Saint-Jean pendant la Fronde*, 1958.

— MAURANGES (Christiane), *Etude des structures sociales des paroisses Saint-Eustache et Saint-Germain-l'Auxerrois de 1645 à 1650*, 1965.

— PERRODIN (Jacques), *Recherches sur les structures sociales du Marais et des paroisses Saint-Eustache et Saint-Germain-l'Auxerrois au milieu du XVIIe siècle*, 1965.

— MATHIEU (Yves-Jean-François), *Le quartier Saint-Jacques la Boucherie sous la Fronde. Etude sociale*, 1958.

— ORFALI (Y.), *Les structures sociales des faubourgs Saint-Jacques et Saint-Marcel, pendant la Fronde*, 1970.

— HAINGUERLOT (Anne), *Le quartier Saint-Germain-des-Près à l'époque de la Fronde (1648-1653). Etude sociale*, 1961.

— RANGER (Pierre), *Le quartier Saint-Avoye ou de la Verrerie au moment de la Fronde. Etude sociale*, 1962.

— COULONNIER (Andrée), *Recherches sur les structures sociales du quartier de la place Maubert et des faubourgs Saint-Marcel et Saint-Victor au lendemain de la Fronde*, 1970.

— BOUSCASSE (Odile), *Le quartier Saint-Martin à Paris pendant la Fronde. Etude sociale*, 1963.

— ANSIEAU (Martine), *Le quartier de la Harpe ou Saint-André-des-Arts pendant la Fronde. Etude sociale*, 1962.

— CHATAIGNON (Isabelle), *Les quartiers des Halles et de Saint-Eustache pendant la Fronde. Etude sociale*, 1961.

III. — *Recherches sur les structures sociales de quartiers parisiens dans la seconde moitié du XVIIe siècle.*

— CORDANI (Yves), *Les quartiers de la Grève, Saint-Avoye, de la Verrerie et de Saint-Antoine en 1660-1662. Etude sociale*, 1969.

— QUOY-BODIN (J.-L.), *Les structures sociales des quartiers de la rue de la Harpe, Saint-Séverin, place Maubert de 1670 à 1676.*

IV. — *Recherches sur le statut social de corps, collèges, communautés de Paris.*

— COCARD (Monique), *Le bureau des Finances de la Généralité de Paris (1625-1645)*, 1962.

— PINONCELY (Mireille), *Les Officiers du Châtelet pendant la Fronde. Etude sociale*, 1972.

— GUILMOTO-TOYES (Marie-Catherine), *Le personnel du Châtelet de Paris pendant la Fronde*, 1971.

— BENOIT (Robert), *Les chanoines du chapitre Notre-Dame de Paris. Etude sociale, 1600-1648*, 1972.

— FERRAZ (Camille), *Le chapitre de Notre-Dame de Paris en 1663*, 1972.

— GRISEL (Denis), *Les miroitiers parisiens au XVIIe siècle. Etude sociale*, 1970.

— VERGNE (Claire-Josette), *Les seigneuries de l'Hôtel-Dieu de Paris*, 1958.

V. — *Recherches sur le statut social de personnalités ou de familles parisiennes.*

— GOGUEL (Béatrice), *François le Coq, Conseiller au Parlement de Paris de 1594 à 1626 et son entourage protestant. Etude sociale,* 1969.

— ANDRÉS (Gilbert), *Olivier III Lefèvre d'Ormesson (1616-1686).*

— LONGUET (Jacques), *Une famille de magistrats parisiens au XVII*[e] *siècle : les De Nesmond (1624-1674). Etude sociale,* 1970.

— LATXAGUE (J.), *Une famille de magistrats parisiens au XVII*[e] *siècle : les Feydeau de Brou. Etude sociale,* 1970.

— BOUYER (Christian), *Michel Particelli d'Hémery,* 1970.

VI. — *Recherches sur la composition sociale de révoltés provinciaux.*

— GALLET (Jean), *Recherches sur les mouvements populaires en Picardie et, en particulier, ceux de 1635-1636, à Amiens,* 1965 (article dans la « Revue d'histoire moderne et contemporaine »).

— BOUYSSOU (Jean-François), *La composition sociale des révoltes de Rohan à Castres (1610-1629).*

TABLE DES MATIERES

TABLE DES MATIERES

Achevé d'imprimer
le 15 Mars 1976
sur les Presses
de l'Imprimerie BOSC Frères
42, quai Gailleton
69002 LYON

Dépôt légal n° 6216 - 1er trimestre 1976